Disgrace

J. M. Coetzee
Desgraça

7.ª edição

Tradução de
José Remelhe

Revisão literária de
Ana Maria Chaves

Leya, SA
Rua Cidade de Córdova, n.º 2
2610-038 Alfragide • Portugal

Título original: *Disgrace*
Capa: Rui Belo/Silva!designers

Revisão: Fernando Milheiro
7.ª edição, Março de 2010
Paginação: Júlio de Carvalho – Artes Gráficas
Depósito legal: 316 856/10
Impressão e acabamento: Litografia Rosés, Barcelona, Espanha

ISBN: 978-989-660-069-3

http://bisleya.blogs.sapo.pt

1

Para um homem da sua idade, cinquenta e dois anos, tem resolvido bastante bem, segundo ele, o problema do sexo. Nas tardes de quinta-feira vai de carro até Green Point. Pontualmente, às duas da tarde, carrega na campainha da entrada para a Windsor Mansions, diz o nome e entra. À sua espera, à porta do 113, está Soraya. Dirige-se directamente para o quarto, que tem um cheiro agradável e uma iluminação suave, e despe-se. Soraya sai da casa de banho, deixa cair o robe e, deslizante, deita-se na cama a seu lado. – Tiveste saudades minhas? – pergunta ela. – Tenho sempre saudades tuas – responde ele. Acaricia-lhe o corpo cor de mel no qual o sol não deixou marca; estende-a e beija-lhe os seios; fazem amor.

Soraya é alta e esguia, de longos cabelos negros e olhos escuros e húmidos. Tecnicamente, ele tem idade suficiente para ser pai dela; mas, também, é possível ser-se pai aos doze anos. Há mais de um ano que ele a visita; considera-a completamente satisfatória. No deserto da semana, a quinta-feira tornou-se um oásis de *luxe et volupté*.

Na cama Soraya não é exuberante. Na verdade, o seu temperamento é bastante reservado, reservado e dócil. As suas opiniões são, surpreendentemente, moralistas. Fica ofendida com as turistas que mostram os seios (as «tetas» como ela lhes chama) nas praias públicas; acha que os vagabundos deveriam ser presos e mandados varrer as ruas. A ele pouco lhe importa como ela consegue conciliar tais opiniões com a profissão que tem.

Já que ela lhe dá prazer, já que o seu prazer é contínuo, afeiçoou-se-lhe bastante. Acredita que, até certo ponto, esta afeição é recíproca. A afeição pode não ser igual ao amor, mas anda lá perto. Olhando para as suas origens pouco prometedoras, ambos tiveram sorte: ele por tê-la encontrado, ela por tê-lo encontrado a ele.

Os sentimentos dele, está consciente, são complacentes, até excessivamente ternos. Não obstante, não deixa de se agarrar a eles.

Para uma sessão de noventa minutos paga-lhe 400 rands, dos quais metade são entregues à agência *Acompanhantes Discretas*. É uma pena que a *Acompanhantes Discretas* receba tanto dinheiro. Mas eles são os donos do 113 e de outros apartamentos da Windsor Mansions; e, de certa forma, são também donos de Soraya, pelo menos desta parte dela, desta função.

Já tinha pensado na possibilidade de lhe perguntar se gostaria de se encontrar com ele fora das horas de expediente. Gostaria de passar um fim de tarde com ela, talvez mesmo uma noite inteira. Mas não a manhã seguinte. Conhece-se suficientemente bem para a sujeitar à manhã seguinte, altura em que estaria frio, maldisposto, morto por ficar sozinho.

É assim o seu temperamento. E o seu temperamento não irá mudar, está velho de mais para tal. O seu temperamento está fixo, estabelecido. O crânio, e depois o temperamento: as duas partes mais duras do corpo.

Obedece ao teu temperamento. Não se trata de uma filosofia, não diria tanto. É uma regra, como a Regra de São Benedito.

Encontra-se em boa forma, tem a mente sã. É, ou tem sido, um erudito e a erudição continua a ser, intermitentemente, o seu ponto fulcral. Vive de acordo com os seus rendimentos, o seu temperamento, os seus meios emocionais. Será feliz? Sim, acredita que sim. Contudo, não esqueceu a última frase de *Édipo:* Nenhum homem é feliz enquanto não está morto.

No que toca a sexo, o seu temperamento, embora intenso, nunca foi apaixonado. Se tivesse de escolher um totem, escolheria a serpente. O sexo entre ele e Soraya deve ser, pensa ele, bastante parecido com a cópula entre duas serpentes: longo, absorvente, mas bastante abstracto e bastante seco, mesmo no auge.

O totem de Soraya será também a serpente? Sem dúvida que com outro homem ela se transforma numa outra mulher: *la donna è mobile.* Contudo, ao nível do temperamento, a sua afinidade com ele não pode certamente ser fingida.

Embora ela seja uma mulher duvidosa devido à profissão que tem, ele confia nela dentro de certos limites. Durante as sessões fala com ela com uma certa liberdade, chegando mesmo a abrir-se. Ela conhece todos os pormenores da sua vida. As histórias dos seus dois casamentos, conhece a filha dele e os altos e baixos da vida dela. Conhece também muitas das opiniões dele.

Soraya nada revela da sua vida fora de Windsor Mansions. Soraya não é o seu verdadeiro nome, disso tem ele a certeza. Existem indícios de ela ter tido um filho, ou mais. Pode até ser que não seja uma profissional. Pode trabalhar para a agência apenas uma ou duas tardes por semana e durante o resto do tempo levar uma vida respeitável nos subúrbios, em Rylands ou Athlone. Seria algo pouco comum para uma muçulmana, mas hoje em dia tudo é possível.

Ele fala-lhe pouco do seu trabalho, pois não quer aborrecê-la. Ganha a vida na Universidade Técnica de Cape, o antigo Colégio Universitário da Cidade do Cabo. Em tempos professor de Línguas Modernas, é professor adjunto de Comunicação desde que as Línguas Modernas e Clássicas foram retiradas do currículo na sequência da grande racionalização. Tal como todos os docentes sujeitos à racionalização, permitem-lhe organizar um curso de especialização por ano, independentemente do número de inscrições, uma vez que isso é bom para o moral. Este ano está a organizar um curso sobre os poetas românticos. De resto, ensina Comunicação 101, «Técnicas de Comunicação» e Comunicação 201, «Técnicas Avançadas de Comunicação».

Embora dedique várias horas por dia à sua nova disciplina, considera a sua primeira premissa, tal como vem descrita no manual de Comunicação 101, absolutamente absurda: «A sociedade humana criou a linguagem para podermos transmitir aos outros os nossos pensamentos, sentimentos e intenções.» A sua opinião, que não emite, é que as origens do discurso estão na canção e as origens da canção na necessidade de preencher com sons a alma humana, tão exacerbada e tão vazia.

Ao longo de uma carreira que remonta a um quarto de século atrás, publicou três livros, nenhum dos quais provocou qualquer tipo de entusiasmo ou mesmo reacção: o primeiro sobre ópera *(Boito e a Lenda de Fausto: A Génese de Mefistófeles),* o segundo sobre a visão como eros *(A Visão de Richard de St. Victor),* e o terceiro sobre Wordsworth e a História *(Wordsworth e o Peso do Passado).*

Durante os últimos anos tem brincado com a ideia de executar um trabalho sobre Byron. A princípio, pensara que se trataria de mais um livro, mais um *opus* crítico. Mas todas as tentativas se tinham transformado em tédio. A verdade é que está cansado da crítica, cansado da prosa medida a palmo. O que quer é escrever música: *Byron em Itália,* uma meditação acerca do amor entre os sexos na forma de uma ópera de câmara.

Durante as aulas de Comunicação, passam-lhe pela mente frases, temas, fragmentos de canções da obra não escrita. Nunca foi um grande professor; nesta instituição de ensino transformada e na sua mente castrada, está mais deslocado do que nunca. Porém, também outros dos seus colegas de antigamente o estão, sobrecarregados com ensinamentos inadequados às tarefas que estão preparados para executar, meros funcionários numa era pós-religiosa.

Uma vez que não respeita a matéria que ensina, não tem qualquer impacto nos seus alunos. É como se não o vissem quando fala, esquecem até o seu nome. A indiferença deles fere-o mais do que é capaz de admitir. Não obstante, cumpre inteiramente as suas obrigações para com eles, para com os pais deles e para com o estado. Mês após mês prepara, recolhe, lê e anota os seus trabalhos, corrigindo erros de pontuação, ortografia e gramática, questionando argumentos fracos e anexando a cada trabalho uma pequena crítica devidamente pensada.

Continua a ensinar, porque o ensino lhe proporciona uma forma de vida; também porque o ensina a ser humilde, porque o faz compreender quem ele é neste mundo. Compreende a ironia: aquele que vem ensinar aprende a mais interessante das lições, ao passo que aqueles que vêm para aprender não aprendem nada. Trata-se de uma característica da sua profissão que não transmite a Soraya. Duvida que ela tenha na vida uma ironia que se lhe compare.

Na cozinha do apartamento de Green Point há uma chaleira, chávenas de plástico, uma cafeteira com café instantâneo, uma taça com pacotes de açúcar. No frigorífico estão várias garrafas de água. Na casa de banho encontram-se uma barra de sabão, uma pilha de toalhas e, no armário, roupa de cama lavada. Soraya guarda a maquilhagem numa bolsa de *toilette*. Um local de encontros, nada mais, funcional, limpo, bem-arrumado.

Da primeira vez que Soraya o recebeu, usava um batom avermelhado e muita sombra nos olhos. Como não lhe agradou aquela maquilhagem pegajosa, pediu-lhe que a tirasse. Ela obedeceu e nunca mais a usou. Aprendia depressa, obedecia, acatava.

Ele gosta de lhe oferecer presentes. No Ano Novo ofereceu-lhe uma pulseira esmaltada; no Eid[1], uma pequena garça de malaquite que lhe chamou a atenção numa loja de antiguidades. Aprecia o prazer dela, que é bastante sincero.

Surpreende-o que noventa minutos por semana da companhia de uma mulher sejam o suficiente para o saciar, ele

---

[1] Festa muçulmana que encerra o Ramadão. (*N. do T.*)

que pensava necessitar de uma mulher, de um lar, de um casamento. Afinal de contas, as suas necessidades revelaram ser bastante sóbrias, sóbrias e efémeras, como as de uma borboleta. Nenhuma emoção, excepto a mais profunda, a que menos se poderia prever: um ruído de fundo de satisfação, como o zumbido do tráfego que embala o habitante da cidade ou como o silêncio da noite que embala o aldeão.

Pensa em Emma Bovary, regressando a casa saciada, de olhos brilhantes, após uma tarde de sexo despreocupado. *Isto é que é satisfação!*, diz Emma, admirando-se ao espelho. *Isto é que é a satisfação de que os poetas falam!* Bom, se a pobre e fantasmagórica Emma alguma vez conseguisse dar com o caminho para a Cidade do Cabo, ele levá-la-ia consigo numa tarde de quinta-feira para lhe mostrar o que a satisfação pode realmente ser: uma satisfação moderada, uma satisfação moderada.

Então, certa manhã de sábado, tudo muda. Encontra-se na cidade em trabalho; vai a descer a St. Georges Street, quando os seus olhos pousam numa figura esguia que surge à sua frente no meio da multidão. É Soraya, não restam dúvidas, acompanhada por duas crianças. Dois rapazes. Transportam embrulhos; foram às compras.

Hesita, depois segue-a à distância. Desaparecem numa pensão, a Captain Doregos Fish Inn. Os rapazes têm o cabelo lustroso e os olhos escuros de Soraya. Só podem ser filhos dela.

Segue em frente, volta atrás, passa pela segunda vez diante da Captain Dorego. Estão os três sentados a uma mesa junto à janela. Por um instante, através do vidro, o olhar de Soraya cruza-se com o seu.

Ele sempre foi um homem da cidade, sentindo-se à vontade entre corpos em permanente movimento, onde o eros domina e os olhares faíscam como setas. Mas deste olhar entre ele e Soraya arrepende-se completamente.

Quando se encontram na quinta-feira seguinte nenhum deles menciona o incidente. Contudo, a recordação, incómoda, paira sobre eles. Ele não quer de modo nenhum transtornar o que deve ser, para Soraya, uma vida dupla e precária. É a favor de vidas duplas, vidas triplas, vidas vividas em compartimentos. Na verdade, sente uma enorme ternura por ela. *O teu segredo está seguro comigo,* gostaria de poder dizer-lhe.

Mas nem um nem outro podem esquecer o que aconteceu. Os dois rapazinhos surgem entre eles, brincando em silêncio como sombras a um canto do quarto onde a mãe copula com um estranho. Nos braços de Soraya ele transforma-se, de passagem, no pai das crianças: padrasto, pai adoptivo, pai sombra. E, ao abandonar a sua cama, sente os seus olhos a segui-lo dissimuladamente, curiosos.

Os seus pensamentos voltam-se então para o outro pai, o verdadeiro. Fará ele a mínima ideia do que a mulher anda a fazer, ou terá preferido a satisfação da ignorância?

Ele mesmo não tem nenhum filho. A sua infância foi passada numa família de mulheres. À medida que a mãe, tias e irmãs foram morrendo, foram sendo substituídas na devida altura por amantes, mulheres e uma filha. A companhia das mulheres transformou-o num amante das mulheres e, até certo ponto, num mulherengo. Com a altura que tem, uma boa ossatura, pele morena e cabelo ondulado, podia sempre contar com uma certa dose de atracção. Se olhasse para uma mulher de certa forma, com determinada intenção, ela retribuía-lhe o olhar, disso tinha ele a certeza. Era assim que vivia; durante anos, décadas, foi essa a espinha dorsal da sua vida.

Até que, certo dia, tudo acabou. Sem aviso prévio, os seus poderes deixaram-no. Olhares que em tempos teriam respondido ao seu, desviavam-se, ignoravam-no. De um dia para o outro transformou-se num fantasma. Se queria uma mulher tinha de aprender a segui-la; e frequentemente, de uma forma ou de outra, a comprá-la.

Havia nele um nervosismo, uma ânsia de promiscuidade. Tinha casos com mulheres de colegas; engatava turistas nos bares em frente ao porto ou no Clube Itália; dormia com prostitutas.

Apresentou-se a Soraya numa pequena sala de estar sombria afastada do escritório principal da *Acompanhantes Discretas,* com as persianas corridas, plantas decorativas aos cantos, fumo envelhecido pairando no ar. Nos ficheiros da *Acompanhantes Discretas* ela encontrava-se na categoria «Exótica». A fotografia mostrava-a com uma flor-da-paixão vermelha no cabelo e uma linha muito ténue nos cantos dos olhos. Uma nota dizia «Apenas tardes». Foi isso que o fez decidir-se: a promessa de quartos com persianas corridas, lençóis lavados, horas secretas.

Os encontros foram satisfatórios, exactamente o que pretendia. Tinha acertado em cheio. Durante um ano não teve necessidade de regressar à agência.

Depois deu-se o incidente na St. Georges Street e o alheamento que se seguiu. Embora Soraya não falte aos encontros, ele sente uma frieza crescente à medida que ela se transforma em apenas mais uma mulher e ele em apenas mais um cliente.

Tem uma ideia aproximada da forma como as prostitutas falam entre si sobre os homens que as frequentam, particularmente sobre os homens mais velhos. Contam histórias, riem-se, mas também estremecem, como quem estremece ao avistar uma barata no lavatório a meio da noite. Em breve, delicadamente, maliciosamente, ele será ultrapassado. É um destino do qual não poderá escapar.

Na quarta quinta-feira após o incidente, ao abandonar o apartamento, Soraya dá-lhe a notícia que ele tentava evitar.

– A minha mãe está doente. Vou tirar umas férias para olhar por ela. Na próxima semana não venho.

– E na seguinte?

– Não sei. Depende de como ela recuperar. É melhor telefonares antes.

– Não tenho o teu número.

– Telefona para a agência. Eles saberão se eu venho.

Espera alguns dias, depois telefona para a agência. Soraya? A Soraya já não trabalha connosco, informa o homem. Não, não podemos dar-lhe o contacto dela, seria contra as regras da casa. Gostaria de conhecer outra das nossas acompanhantes? Temos muitas exóticas por onde escolher – malaias, tailandesas, chinesas, é só escolher.

Passa um fim de tarde com uma outra Soraya – ao que parece, Soraya tornou-se um nome de guerra muito popular – num quarto de hotel em Long Street. Esta tem no máximo dezoito anos e pouca prática, para a sua mente obscena. – O que fazes na vida? – pergunta-lhe ela enquanto se despe. – Import-Export – responde ele. – Não me digas – diz ela.

Há uma nova secretária no seu departamento. Leva-a a almoçar a um restaurante que se encontra a uma distância discreta da universidade e escuta-a com atenção enquanto comem salada de camarão, ouvindo-a queixar-se da escola dos filhos. Diz que andam passadores de droga nos recreios e que a polícia não faz nada. Há já três anos que ela e o marido têm o nome numa lista de espera no consulado da Nova Zelândia, para emigrar. – A sua gente teve mais sorte. Quero dizer, independentemente das coisas boas e das coisas más da situação, pelo menos sabiam onde estavam.

– A minha gente? – diz ele. – Que gente?

– Refiro-me à sua geração. Hoje em dia, as pessoas dão-se ao luxo de escolher as leis às quais querem obedecer. É a anarquia total. Como é possível criar crianças nesta anarquia?

Chama-se Dawn. Da segunda vez que a leva a sair, passam por casa dele e têm relações sexuais. É um fracasso. Entre pinotes e arranhões, ela entra num estado de excitação que, no fim, deixa nele uma sensação de repulsa. Empresta-lhe um pente, leva-a de volta à faculdade.

Depois disto evita-a, esforçando-se por contornar a secretaria onde ela trabalha. Por sua vez, ela lança-lhe um olhar magoado e depois ignora-o.

Devia desistir, retirar-se do jogo. Com que idade, questiona-se, se teria Orígenes castrado? Não será a solução mais atraente, mas o envelhecimento também não é nada atraente. No mínimo, uma limpeza do convés, para que uma pessoa possa concentrar-se no assunto que mais ocupa os velhos: prepararem-se para morrer.

Seria possível ir ao médico e pedir-lhe? Sem dúvida, trata-se de uma operação bem simples: fazem-na aos animais todos os dias e os animais sobrevivem sem problemas, se for possível ignorar uma certa reminiscência de tristeza. Cortar, coser: com anestesia local, mão firme e alguma impassibilidade até era possível ser o próprio a fazê-la, com a ajuda de um manual. Um homem sentado numa cadeira a retalhar o próprio corpo: uma visão aterradora, mas não mais aterradora do que o mesmo homem exercitando-se no corpo de uma mulher.

Mas ainda há Soraya. Deveria fechar esse capítulo. Porém, em vez disso, contrata uma agência de detectives para a encontrar. Passados poucos dias sabe o seu verdadeiro nome, a sua morada e o seu número de telefone. Telefona-lhe às nove da manhã, hora a que o marido e os filhos já terão saído. – Soraya? – pergunta. – Fala o David. Como estás? Quando posso voltar a ver-te?

Segue-se um longo silêncio antes de ela responder. – Não sei quem está a falar – diz ela. – Está a assediar-me na minha própria casa. Peço-lhe que nunca mais me telefone para aqui, nunca mais.

Peço. Ordeno, quer ela dizer. A rispidez da sua voz surpreende-o: não conhecia esta sua faceta. Mas, também, o que poderia esperar um predador depois de entrar na toca da raposa, no lar das suas crias?

Pousa o auscultador. Uma sombra de inveja paira por cima dele, inveja do marido que nunca viu.

2

Sem os interlúdios de quinta-feira, a semana é tão árida de acontecimentos como um deserto. Dias há em que não sabe o que fazer da vida.

Passa agora mais tempo na biblioteca da universidade, lendo tudo o que consegue encontrar sobre Byron e tomando notas que já enchem dois grossos ficheiros. Agrada-lhe o sossego do fim da tarde na sala de leitura, agrada-lhe o regresso a casa: o ar vivificante do Inverno, as ruas húmidas e cintilantes.

Regressa a casa numa tarde de sexta-feira seguindo pelo caminho mais longo, através dos jardins da antiga faculdade, quando avista uma das suas alunas mais à frente. Chama-se Melanie Isaacs e frequenta as aulas de Romantismo. Não é a melhor aluna, mas também não é a pior: inteligente, sem dúvida, mas pouco empenhada.

Anda a vadiar; aproxima-se dela. – Olá – diz ele.

Ela devolve-lhe o sorriso, inclinando a cabeça, mais maliciosa do que envergonhada. É pequena e magra, de cabelo curto, maçãs do rosto largas, quase chinesas, e olhos grandes e escuros. As roupas que veste são sempre impressionantes. Hoje traz uma minissaia castanha, uma camisola cor de mostarda e *collants* pretos; as bugigangas douradas penduradas no cinto condizem com os brincos.

Está moderadamente apaixonado por ela. Não é nada de especial: é raro passar um período sem se apaixonar por alguma das suas alunas. Cidade do Cabo: uma cidade pródiga em beleza, e em belezas.

Saberá que ele anda de olho nela? Provavelmente. As mulheres são sensíveis a este tipo de coisas, ao peso de um olhar pleno de desejo.

Esteve a chover; ouve-se o suave deslizar da água nas sarjetas, nas bermas do passeio.

– A minha estação predilecta, a minha hora do dia predilecta – diz ele. – Vive aqui perto?

– Do outro lado. Partilho um apartamento.

– É da Cidade do Cabo?

– Não, fui criada em George.

– Eu vivo aqui perto. Posso convidá-la para um copo?

Uma pausa, cautelosa. – Está bem. Mas tenho de estar de volta às sete e meia.

Passam dos jardins para a sossegada zona residencial onde ele tem vivido durante os últimos doze anos, primeiro com Rosalind e depois sozinho, após o divórcio.

Abre o portão de segurança, abre a porta, fá-la entrar rapidamente. Acende a luz, pega na mala da rapariga. Ela tem gotas de chuva no cabelo. Olha-a, sinceramente encantado. Ela baixa os olhos, oferecendo-lhe o mesmo sorriso evasivo e talvez até galanteador de há pouco.

Na cozinha abre uma garrafa de *Meerlust* e prepara queijo e bolachinhas. Quando regressa, ela encontra-se ao pé das prateleiras carregadas de livros, com a cabeça de lado, a ler os títulos. Ele põe música: o *Quinteto para clarinete* de Mozart.

Vinho e música: um ritual entre homens e mulheres. Não há nada de errado com os rituais, foram inventados para amenizar os momentos embaraçosos. Mas a rapariga que trouxe para casa não é apenas trinta anos mais nova: é uma aluna, uma aluna sua, sob a sua tutela. Aconteça o que acontecer entre ambos, terão de se encontrar novamente como professor e aluna. Estará ele preparado para tal?

– Está a gostar do curso? – pergunta.

– Gostei de Blake. Gostei daquilo do *Wonderhorn*.

– *Wunderhorn*.

– Já não sou grande apreciadora de Wordsworth.

– Não devia dizer-me uma coisa dessas. Wordsworth tem sido um dos meus mestres.

E é verdade. Tanto quanto consegue lembrar-se, as harmonias de O Prelúdio sempre ecoaram dentro de si.

– Talvez no fim do curso goste mais dele. Talvez aprenda a apreciá-lo.

– Talvez. Mas, pela experiência que tenho, a poesia ou nos fala de imediato ao coração ou pura e simplesmente não nos diz nada. Um lampejo de revelação e um lampejo de resposta. Como um relâmpago. Como quem se apaixona.

Como quem se apaixona. Será que os jovens ainda se apaixonam, ou ter-se-á esse mecanismo tornado obsoleto hoje em dia, desnecessário e antiquado como uma locomotiva a vapor? Está desactualizado, fora do contexto. Tanto quanto sabe, apaixonar-se poderia ter saído de moda e regressado meia dúzia de vezes.

– Escreve poesia? – pergunta ele.

– Escrevi quando andava na escola. Não era lá muito boa. Agora não tenho tempo.

– E paixões? Tem alguma paixão literária?

Ela franze o sobrolho ao escutar esta palavra. – Demos Adrienne Rich e Toni Morrison no segundo ano. E Alice Walker. Empenhei-me bastante. Mas não se pode dizer que tenha sido uma paixão.

Portanto: não é uma criatura apaixonada. Estará ela a dar-lhe um aviso, de uma forma muito ardilosa?

– Vou fazer o jantar – diz ele. – Faz-me companhia? Vai ser uma coisa muito simples.

Ela parece em dúvida.

– Vá lá! – diz ele. – Diga que sim!

– Está bem. Mas primeiro tenho de fazer um telefonema.

O telefonema demora mais tempo do que seria de esperar. Na cozinha ele escuta murmúrios e silêncios.

– Quais são os seus planos profissionais? – pergunta-lhe depois.

– Encenação e design. Estou a formar-me em teatro.

– E o que a levou a tirar um curso de poesia romântica?

Ela pensa, franzindo o nariz. – Foi principalmente por causa da atmosfera – responde. – Não quis dar Shakespeare outra vez. Dei Shakespeare o ano passado.

O que ele prepara para o jantar é de facto bastante simples: *tagliatelle* com anchovas e molho de cogumelos. Deixa-a cortar os cogumelos. Depois ela fica sentada num banco a vê-lo cozinhar. Comem na sala de jantar e abrem uma segunda garrafa de vinho. Ela come sem inibição. Um apetite saudável, para alguém assim tão pequeno.

– Cozinha sempre só para si? – pergunta ela.

– Vivo sozinho. Se não cozinhar, ninguém o faz por mim.

– Eu detesto cozinhar. Se calhar, devia aprender.

– Porquê? Se não gosta mesmo de cozinhar, case com um homem que o faça por si.

Imaginam ambos a cena: a jovem esposa com roupas ousadas e jóias vistosas entrando em passada larga pela porta da rua, cheirando o ar impaciente; e o marido, o Sr. Certinho, sensaborão, de avental, mexendo a panela na cozinha fumegante. Inversões: coisas de comédia burguesa.

– É tudo – diz ele no fim do jantar, quando a travessa fica vazia.– Não há sobremesa, a menos que queira uma maçã ou um iogurte. Desculpe... é que não sabia que ia ter uma convidada.

– Estava bom – diz ela, esvaziando o copo e levantando--se. – Obrigada.

– Não se vá já embora. – Pega-lhe na mão e encaminha-a para o sofá. – Quero mostrar-lhe uma coisa. Gosta de dança? Não é de dançar: de dança. – Introduz uma cassete no vídeo. – É um filme de um homem chamado Norman McLaren. Bastante antigo. Descobri-o na biblioteca. Veja lá o que acha.

Vêem o filme lado a lado. Dois dançarinos dão os seus passos num palco completamente despido. Gravados com uma câmara estroboscópica, as suas imagens, fantasmas dos seus movimentos, movem-se atrás deles quais batimentos de asas. Trata-se de um filme que ele viu pela primeira vez há um quarto de século, mas que ainda o fascina: o instante presente e o passado desse instante, evanescente, apanhado no mesmo espaço.

Deseja que a rapariga também fique fascinada. Mas sente que tal não acontece.

Quando o filme acaba, ela levanta-se e vagueia pela sala. Ergue a tampa do piano, toca numa tecla. – Sabe tocar? – pergunta.

– Um pouco.

– Clássica ou jazz?

– Jazz não, lamento.

– Não quer tocar nada para mim?

– Agora não. Estou destreinado. Fica para outra vez, quando nos conhecermos melhor.

Ela espreita para o escritório. – Posso ver? – pergunta.

– Acenda a luz.

Ele põe mais música: sonatas de Scarlatti, *cat-music*.

– Tem muitos livros de Byron – diz ela ao sair. – É o seu autor preferido?

– Estou a trabalhar em Byron. Quando ele esteve em Itália.

– Ele não morreu jovem?

– Aos trinta e seis anos. Todos eles morreram jovens. Ou esgotados. Ou então enlouqueceram e foram internados. Mas não foi em Itália que Byron morreu. Morreu na Grécia. Foi para Itália para fugir de um escândalo e instalou-se lá. Assentou. Teve lá o último caso amoroso da sua vida. Naquele tempo a Itália era um destino muito popular entre os ingleses. Acreditavam que os italianos ainda estavam em contacto com a sua própria natureza. Menos presos às convenções, mais apaixonados.

Ela dá outra volta à sala. – Esta é a sua mulher? – pergunta, parando em frente de uma fotografia emoldurada em cima da mesinha de apoio.

– É a minha mãe. Foi tirada quando era jovem.

– É casado?

– Fui. Duas vezes. Mas agora não sou. – Não diz: Agora faço-o com o que me aparece à frente. Não diz: Agora faço-o com prostitutas. – Quer um licor?

Ela não quer licor, mas aceita um pouco de uísque com o café. Enquanto bebe, ele inclina-se e toca-lhe na face. – É muito bonita – diz ele. – Vou convidá-la a fazer algo de ousado. – Toca-lhe novamente. – Fique comigo. Passe a noite comigo.

Ela olha-o fixamente por cima da chávena. – Porquê?

– Porque deve fazê-lo.

– E porque devo fazê-lo?

– Porquê? Porque a beleza de uma mulher não lhe pertence apenas a ela. Faz parte da dádiva que ela traz ao mundo. É obrigação sua partilhá-la.

A mão dele permanece no rosto dela. Ela não a retira, mas também não se lhe rende.

– E se eu já a partilhar? – Na voz dela existe um indício de falta de fôlego. É sempre excitante ser-se cortejada: excitante e agradável.

– Nesse caso deve partilhá-la ainda mais.

Palavras suaves, tão antigas como a própria sedução. Contudo, neste momento, ele acredita nelas. Ela não é dona de si mesma. A beleza não é dona de si mesma.

– Das criaturas mais belas desabrochamos desejo – diz ele – para que a rosa da beleza jamais possa fenecer.

Uma má cartada. O sorriso dela perde aquela qualidade alegre e irrequieta. O pentâmetro, cuja cadência outrora tão bem oleava as palavras da serpente, hoje em dia apenas provoca estranheza. Transformou-se novamente no professor, no homem livresco, no guardião da cultura. Ela pousa a chávena. – Tenho de ir, estão à minha espera.

As nuvens dissiparam-se, as estrelas brilham. – Foi uma noite muito agradável – diz ele ao abrir o portão do jardim. Ela não o encara. – Quer que a acompanhe a casa?

– Não.

– Muito bem. Boa noite. – Aproxima-se e abraça-a. Durante o movimento, consegue sentir os pequenos seios encostados ao seu corpo. Depois ela escapa-se ao abraço e vai-se embora.

3

A coisa deveria ficar por ali. Mas não. No domingo de manhã vai de carro até à universidade, que se encontra deserta, e entra no escritório. Dirige-se ao armário, retira de lá o ficheiro de Melanie Isaacs e copia os seus dados pessoais: endereço de casa, endereço na Cidade do Cabo, número de telefone.

Marca o número dela. Atende uma voz de mulher.

– Melanie?

– Vou chamá-la. Quem fala?

– Diga-lhe que é David Lurie.

Melanie – melodia: uma rima enganadora. Não é um nome adequado para ela. Mudar a acentuação. Melanie: a sombria.

– Estou?

Naquela única palavra consegue escutar toda a sua incerteza. Demasiado jovem. Ela não vai saber como lidar com ele; devia esquecê-la. Mas anda em busca de algo. A rosa da beleza: o poema atinge-o como uma seta. Ela não é dona de si mesma; talvez ele também não seja dono de si mesmo.

– Pensei que talvez quisesse ir almoçar comigo – diz ele. – Vou buscá-la às... digamos... ao meio-dia.

Ela ainda tinha tempo para dizer uma mentira, para inventar uma desculpa. Mas encontra-se muito confusa e a oportunidade passa.

Quando ele chega, Melanie encontra-se à espera no passeio em frente ao bloco de apartamentos onde vive. Traz vestidos uns *collants* pretos e uma camisola preta. Tem as ancas tão estreitas como as de uma criança de doze anos.

Leva-a ao Hout Bay, perto do porto. Durante o percurso tenta pô-la à vontade. Faz-lhe perguntas acerca das aulas. Ela está a participar numa peça de teatro, explica. É um dos requisitos para o seu curso. Os ensaios roubam-lhe muito tempo.

No restaurante, ela não tem apetite e olha fixa e tristemente para o mar.

– Aconteceu alguma coisa? Quer falar sobre o caso?

Ela abana a cabeça.

– Está preocupada com o nosso caso?

– Talvez – responde.

– Não há necessidade. Eu trato disso. Não deixo que a coisa vá longe de mais.

Longe de mais. O que é longe, o que é longe de mais, num caso destes? Longe de mais para ela será o mesmo que longe de mais para ele?

Começou a chover: lençóis de água pairam na baía deserta. – Vamos embora? – pergunta ele.

Leva-a para sua casa. No chão da sala de estar, ao som da chuva batendo levemente contra as vidraças, faz amor com ela. O seu corpo não tem mácula, é simples, perfeito à sua maneira; embora ela se mostre bastante passiva, ele considera o acto satisfatório, tão satisfatório que, no clímax, cai num estado de esquecimento.

Quando vem a si a chuva parou. A rapariga permanece deitada debaixo dele, de olhos fechados, com as mãos caídas acima da cabeça e um ligeiro esgar no rosto. Ele tem as mãos por debaixo da camisola de malha, em cima dos seios dela. As meias e a roupa interior encontram-se emaranhadas no chão; ele tem as calças pelos tornozelos. *Após a tempestade,* pensa: directamente de George Grosz.

Escondendo a cara, ela liberta-se, apanha as suas coisas e sai da sala. Passados alguns minutos regressa, já vestida.

– Tenho de ir – murmura. Ele nada faz para a impedir.

Acorda na manhã seguinte num estado de profundo bem-estar, que não o abandona. Melanie não vai à aula. Do gabinete telefona a uma florista. Rosas? Talvez não. Encomenda cravos. – Vermelhos ou brancos? – pergunta a mulher. Vermelhos? Brancos? – Mande uma dúzia cor-de--rosa – responde ele. – Não tenho doze cor-de-rosa. Posso mandar misturados? – ao que ele responde – Mande misturados. Durante todo o dia de terça-feira a chuva cai das nuvens carregadas que chegam de ocidente trazidas pelo vento. Ao fim do dia, ao passar pelo corredor do Edifício das Comunicações, avista-a à saída, num grupo de estudantes que aguardam que a chuva abrande. Aproxima-se por trás dela e coloca-lhe a mão no ombro. – Espere aqui por mim – diz ele. – Dou-lhe boleia até casa.

Regressa com um guarda-chuva. Ao atravessarem a praça que dá para o parque de estacionamento, puxa-a para si de forma a abrigá-la. Uma rajada repentina vira o guarda-chuva do avesso; correm os dois desajeitadamente em direcção ao carro.

Ela traz vestida uma gabardina amarela escorregadia; dentro do carro tira o capuz. Tem o rosto ruborizado; ele apercebe-se do movimento do peito dela. Lambe uma gota de chuva no seu lábio superior. *Uma criança!* Pensa ele: *É apenas uma criança! O que estou eu a fazer?* Contudo, o seu coração palpita de desejo.

Seguem por entre um tráfego intenso, próprio do fim da tarde. – Ontem senti a sua falta – diz ele. – Está tudo bem?

Ela não responde, olhando fixamente para o limpa-pára--brisas.

Parados num sinal vermelho, ele pega-lhe na mão. – Melanie! – diz ele, tentando manter um tom de voz agradável. Mas esqueceu-se de como cortejar. A voz que ela escuta pertence a um pai que tenta persuadi-la, e não a um amante.

Estaciona em frente ao bloco de apartamentos dela. – Obrigada – diz ela, enquanto abre a porta do carro.

– Não me convida a entrar?

– Acho que a minha colega está em casa.

– E esta noite?

– Esta noite tenho ensaio.

– Então, quando posso voltar a vê-la?

Ela não responde. – Obrigada – repete, e sai do carro.

Na quarta-feira vai à aula e ocupa o seu lugar habitual. Ainda estão a dar Wordsworth, vão no Livro 6 de O *Prelúdio,* o poeta nos Alpes.

– «De um cume despido» – lê em voz alta,

vimos pela primeira vez também
Despido, o cume do Monte Branco, e sofremos
Ao guardar uma imagem sem alma nos olhos
Que tinha usurpado um pensamento vivo
Que nunca mais poderia existir.

– Portanto. A majestosa montanha branca, o Monte Branco, revela-se uma desilusão. Porquê? Comecemos pela pouco habitual forma verbal *usurpar.* Alguém foi ver ao dicionário?

Silêncio.

– Se tivessem ido, teriam verificado que *usurpar* significa *forçar a entrada, invadir.* Mas também *extorquir, roubar.* A palavra é, portanto, *polissémica,* adquirindo diversos significados em função do contexto em que está inserida.

As nuvens dissiparam-se, diz Wordsworth, o pico foi revelado e sofremos ao avistá-lo. Uma réplica estranha, para um viajante dos Alpes. Porquê o sofrimento? Porque, diz ele, uma imagem sem alma, uma mera imagem na retina, usurpou o que, até então, fora um pensamento vivo. E o que era esse pensamento vivo?

Novamente silêncio. O próprio ar em que fala permanece indiferente. Um homem olhando para uma montanha: por que tem de ser tão complicado, quererão queixar-se? Que resposta pode ele dar-lhes? O que foi que disse a Melanie naquela primeira noite? Que sem um vislumbre de revelação nada existe. Onde está o vislumbre de revelação nesta sala?

Lança-lhe um breve olhar. Ela está cabisbaixa, absorvida pelo texto, ou parece estar.

– A mesma palavra *usurpar* surge novamente umas linhas mais abaixo. A usurpação é um dos temas mais profundos da sequência dos Alpes. Os grandes arquétipos da mente, as ideias puras são usurpadas por meras imagens sensitivas.

»Contudo, não podemos viver o dia-a-dia no domínio das ideias puras, arredados da experiência dos sentidos. A questão não é «Como poderemos manter a imaginação pura, protegida das arremetidas da realidade?» A questão tem de ser «Será possível coexistirem as duas coisas?»

»Vejam o verso 599. Wordsworth escreve sobre os limites da percepção sensitiva. Trata-se de um tema que já focámos. À medida que os órgãos dos sentidos atingem o limite das suas capacidades, a sua luz começa a extinguir-se. Contudo, no momento dessa extinção, a luz tem uma última arremetida como a chama de uma vela, dando-nos um vislumbre do invisível. Este trecho é difícil; talvez contradiga até o momento do Monte Branco. Não obstante, Wordsworth parece encaminhar-se para um certo equilíbrio: não a ideia pura, em nuvem espiralada, nem a imagem visual marcada na retina, açambarcadora e desiludindo-nos com a sua clareza prosaica, mas a imagem sensitiva, mantida fugidia o mais possível, como forma de estimular ou activar a ideia que se encontra mais profundamente enterrada no pântano da memória.

Faz uma pausa. Incompreensão. Foi longe de mais, depressa de mais. Como conseguir captar-lhes a atenção? Como conseguir captar a atenção dela?

– É como se estivessem apaixonados – diz. – Se fossem cegos, dificilmente se teriam apaixonado. Mas agora, desejam mesmo ver a amada na claridade fria do mecanismo visual? Talvez seja do vosso interesse colocar um véu sobre o olhar, para manter vivo o seu arquétipo, a sua forma divina.

Isto não é Wordsworth, mas pelo menos acorda-os.

Arquétipos? pensam eles. *Formas divinas? Sobre o que está ele a falar? O que sabe este velho acerca do amor?*

Uma recordação ensombra-o: aquele momento no chão quando ele lhe ergueu a camisola e expôs os pequenos seios, puros e perfeitos. Ela ergue os olhos pela primeira vez; os seus olhares cruzam-se e, de repente, ela compreende tudo. Confusa, baixa o olhar.

– Wordsworth está a escrever sobre os Alpes – diz. – Neste país não existem Alpes, mas temos o Drakensberg ou, numa escala mais pequena, a Table Mountain, que escalamos ressuscitando os poetas, esperando um desses momentos revelatórios wordsworthianos de que todos ouvimos falar. – Agora está só a falar, a disfarçar. – Mas momentos como esses não ocorrerão se o olho não estiver meio virado para os grandes arquétipos da imaginação que carregamos connosco.

Já chega! O som da própria voz enoja-o e tem pena dela, que tem de escutar aquelas intimidades dissimuladas. Dá por terminada a aula e, depois, fica por ali à espera de poder falar com ela. Mas ela afasta-se no meio da multidão.

Há uma semana ela era apenas mais uma cara bonita naquela turma. Agora é uma presença na sua vida, uma presença viva.

O auditório da associação de estudantes encontra-se na penumbra. Sem que reparem nele, ocupa um lugar na última fila. Além de um homem calvo que veste um uniforme de contínuo e se encontra algumas filas mais à frente, ele é o único espectador.

Pôr do Sol no Globe Salon é o nome da peça que estão a ensaiar: uma comédia da nova África do Sul, passada num salão de cabeleireiro em Hillbrow, Joanesburgo. Em palco encontra-se um cabeleireiro, espalhafatosamente *gay,* que se ocupa de dois clientes, um preto e um branco. Tagarelam: piadas, insultos. A catarse parece ser o princípio a seguir: todos os preconceitos grosseiros trazidos à luz do dia e levados por explosões de riso.

Uma quarta personagem entra em palco, uma rapariga com uns sapatos de solas altas e o cabelo aos caracóis caindo em cascata. – Senta-te, querida, atendo-te já – diz o cabeleireiro. – Venho por causa do emprego – responde ela – o do anúncio. O seu sotaque é manifestamente *Kaaps,* trata-se de Melanie. – Ah, pega numa vassoura e faz alguma coisa útil – diz o cabeleireiro.

Ela pega numa vassoura e cambaleia pelo palco empurrando-a à sua frente. A vassoura fica emaranhada num fio eléctrico. Devia ocorrer um clarão, seguido de gritos e agitação, mas algo corre mal com a sincronização. O realizador sobe ao palco com passadas largas, seguido por um jovem vestido de couro que começa a mexer na tomada da parede. – Tem de ser mais animado – diz o realizador. – Uma atmosfera mais ao estilo dos Irmãos Marx. – Volta-se para Melanie. – OK? – Melanie faz que sim com a cabeça.

À frente dele o contínuo levanta-se e, depois de suspirar pesadamente, sai do auditório. Ele também se devia ir embora. É indecente, sentado na escuridão a espiar uma rapariga (inesperadamente ocorre-lhe a expressão comer com os olhos). Tal como os velhos cuja companhia ele parece estar prestes a procurar, os vagabundos e os vadios com gabardinas cheias de nódoas, dentes postiços partidos e orelhas peludas – todos eles foram em tempos filhos de Deus, com membros escorreitos e olhos claros. Poderemos culpá-los por se apegarem ao seu lugar no doce banquete dos sentidos?

A acção recomeça no palco. Melanie empurra a vassoura. Um estrondo, um clarão, gritos alarmados. – A culpa não foi minha – protesta estridentemente Melanie. – Bolas, por que tem tudo de ser sempre culpa minha? – Levanta-se em silêncio e segue o contínuo para a escuridão exterior.

Às quatro horas da tarde do dia seguinte dirige-se ao apartamento dela. Melanie abre a porta e surge com uma *T-shirt* amarrotada, calções de ciclismo, chinelos com a forma de um roedor da banda desenhada, que ele considera patéticos, sem qualquer gosto.

Ele não lhe deu qualquer aviso; ela está surpreendida de mais para resistir ao intruso que se atira para cima dela. Quando a abraça, os seus membros desfalecem como os de uma marioneta. Palavras, pesadas como bastões, golpeiam-

-lhe os ouvidos delicados. – Não, agora não! – diz ela, deba-tendo-se. – A minha prima está a chegar.

Mas nada o deterá. Leva-a para o quarto, atira para longe aqueles chinelos absurdos, beija-lhe os pés, sur-preendido com o sentimento que ela lhe provoca. Tem algo a ver com a sua aparição em palco: a peruca, o menear do traseiro, a conversa grosseira. Estranho amor! Tal como a agitação de Afrodite, deusa das ondas encrespadas, não restam dúvidas.

Ela não resiste. Tudo o que faz é desviar-se: desviar os lábios, desviar os olhos. Permite-lhe deitá-la em cima da cama e despi-la: até o ajuda, erguendo os braços e depois as ancas. Pequenos arrepios de frio percorrem-na; assim que fica despida, desliza para debaixo da coberta acolchoada, como uma toupeira fazendo a toca, e volta-lhe as costas.

Não é uma violação, nada disso; contudo é indesejável, indesejável até ao âmago. Por isso, decide manter-se inerte, morrer dentro dela mesma durante o acto, como o coelho quando as mandíbulas da raposa lhe apertam o pescoço. De forma a que tudo o que lhe fosse feito pudesse ser feito longe dali, por assim dizer.

– Pauline chega dentro de um minuto – diz ela quando termina. – Por favor, tem de ir embora.

Ele obedece, mas depois, quando chega ao carro, é tomado por um tamanho desalento, por tamanha apatia, e afunda-se no banco, ao volante, incapaz de se mover.

Um erro, um enorme erro. Neste momento não tem qualquer dúvida, ela, Melanie, está a tentar lavar-se daquilo, lavar-se dele. Imagina-a a encher a banheira e a entrar para a água, de olhos fechados como um sonâm-bulo. Gostaria de entrar também no seu próprio banho.

Uma mulher de pernas grossas e fato de executiva passa por ele e entra no bloco de apartamentos. Será esta a prima Pauline, a colega de apartamento, aquela cuja opinião tanto assusta Melanie? Volta a si e arranca.

No dia seguinte ela não vai à aula. Uma ausência infeliz, uma vez que é dia do teste do meio do período. Mais tarde, ao preencher a folha de presenças, assinala a presença dela e dá-lhe setenta por cento. No fundo da página faz uma anotação para si mesmo: Provisório. Setenta: a nota de um indeciso, nem boa nem má.

Ela não aparece durante toda a semana seguinte. Ele telefona-lhe vezes sem conta, sempre sem obter resposta. Então, à meia-noite de domingo, a campainha toca. É Melanie, vestida de preto da cabeça aos pés, com um pequeno gorro de lã. Tem o rosto alterado; ele prepara-se para palavras amargas, para uma cena.

A cena não acontece. Na verdade, ela é que está perturbada. – Posso passar cá a noite? – murmura, evitando o olhar dele.

– Claro, claro. – O coração dele inunda-se de alívio. Aproxima-se, abraça-a, apertando-a contra si. – Venha, vou fazer-lhe um chá.

– Não, não quero chá, estou exausta, quero apenas dormir.

Ele prepara-lhe a cama no antigo quarto da filha, dá-lhe um beijo de boas-noites, deixa-a sozinha. Quando regressa uma hora mais tarde ela dorme o sono dos justos, completamente vestida. Tira-lhe os sapatos, cobre-a.

Às sete da manhã, quando os primeiros pássaros começam a chilrear, ele bate-lhe à porta. Ela está acordada, tem o lençol puxado até ao queixo e um ar fatigado.

– Como se sente? – pergunta.

Ela encolhe os ombros.

– Passa-se alguma coisa? Quer conversar?

Ela limita-se a abanar a cabeça.

Ele senta-se na cama, puxa-a para si. Ela começa a soluçar nos seus braços. Apesar de tudo, ele sente um formigueiro de desejo. – Pronto, pronto – murmura, tentando reconfortá-la. – Conte-me o que se passa. – Quase diz «Conta ao Papá o que se passa».

Melanie recompõe-se e tenta falar, mas tem o nariz tapado. Ele dá-lhe um lenço. – Posso ficar cá algum tempo? – pergunta ela.

– Ficar cá? – repete ele, cauteloso. Ela parou de chorar, mas enormes estremecimentos de tristeza continuam a percorrer-lhe o corpo. – Seria boa ideia?

Se seria ou não boa ideia ela não diz. Em vez disso, aperta o seu corpo com força contra o dele, com o rosto quente de encontro à sua barriga. O lençol escorrega para o lado; ela tem vestido apenas uma camiseta e as cuecas.

Será que ela sabe o que pretende, neste momento?

Quando ele deu o primeiro passo, nos jardins da faculdade, pensou que se trataria apenas de um caso rápido e sem importância – entrava e saía depressa. Agora aqui está ela em sua casa, arrastando complicações atrás de si. Qual será o jogo dela? Tem de ter cuidado, não restam dúvidas. Mas deveria ter tido cuidado logo desde o início. Estica-se na cama ao lado dela. A última coisa de que precisa é que a Melanie Isaacs assente arraiais em casa dele. Contudo, neste momento, esse pensamento é inebriante. Ela estaria aqui todas as noites; todas as noites ele poderia enfiar-se na cama com ela, como agora, enfiar-se nela. As pessoas descobrirão, descobrem sempre; haverá rumores, até mesmo um escândalo. Mas que interessa isso? Um último recrudescer da chama antes de se extinguir. Puxa a roupa da cama para o lado, aproxima-se, toca-lhe os seios, as ancas.

– É claro que pode ficar – murmura. – É claro.

No seu quarto, a duas portas de distância, o despertador dispara. Ela volta-lhe as costas e puxa os cobertores até aos ombros.

– Tenho de ir – diz ele. – Tenho de ir dar aulas. Tente dormir novamente. Regresso ao meio-dia, depois falamos. – Acaricia-lhe o cabelo, beija-lhe a testa. Amante? Filha? O que será que ela está a tentar ser? O que será que ela está a oferecer-lhe?

Quando regressa a casa ao meio-dia, ela está acordada, sentada à mesa da cozinha, a comer torradas com mel e a beber chá. Parece sentir-se completamente à vontade.

– Então – diz ele. – Está com muito melhor aspecto.

– Adormeci depois que saiu.

– Conta-me agora o que se passa?

Ela evita o seu olhar. – Agora não – diz ela. – Tenho de ir, estou atrasada. Explico mais tarde.

– E quando será esse mais tarde?

– Esta noite, depois do ensaio. Se não houver problema?

– Tudo bem.

Ela levanta-se, leva a chávena e o prato para o lava-louça (mas não os lava) e volta-se para ele.

– Tem a certeza de que não há problema? – pergunta.

– Tenho, não há problema.

– Queria dizer-lhe, sei que faltei a muitas aulas, mas a peça rouba-me todo o tempo disponível.

– Compreendo. Está a dizer-me que o seu trabalho com o teatro tem prioridade. Tinha ajudado se tivesse explicado isso há mais tempo. Amanhã vai à aula?

– Vou. Prometo.

Ela promete, mas uma promessa não tem forçosamente de ser cumprida. Ele sente-se contrariado, irritado. Ela está a portar-se mal, a abusar; está a aprender a explorá-lo e irá provavelmente explorá-lo ainda mais. Mas se ela abusou, ele abusou ainda mais; se ela está a portar-se mal, ele portou-se ainda pior. Na medida em que estão juntos, se é que estão juntos, é ele quem manda, ela apenas obedece. Convém não esquecer isso.

4

Faz amor com ela mais uma vez na cama do quarto da filha. É bom, tão bom como da primeira vez; começa a compreender a forma como o corpo dela se move. Ela é rápida e ávida de experiência. Se não sente nela um apetite sexual completo, deve-se ao facto de ser ainda muito jovem. Recorda-se em especial de um momento, quando ela coloca uma perna em torno das suas ancas para o puxar para ela: quando o tendão da coxa se aperta contra ele, sente um avolumar de alegria e desejo. Quem sabe, pensa ele: apesar de tudo, talvez tenham futuro.

– Faz este género de coisas muitas vezes? – pergunta ela depois.

– Que género de coisas?

– Ir para a cama com as suas alunas. Foi para a cama com a Amanda?

Ele não responde. Amanda é outra aluna da turma, uma loira delgada. Amanda não desperta nele qualquer interesse.

– Por que se divorciou? – pergunta ela.

– Já me divorciei duas vezes. Casei duas vezes e divorciei-me duas vezes.

– O que aconteceu à sua primeira esposa?

– É uma longa história. Conto-lha noutra altura.

– Tem fotografias?

– Não colecciono fotografias. Não colecciono mulheres.

– Não está a coleccionar-me?

– Não, claro que não.

Ela levanta-se, anda pelo quarto a apanhar as roupas, tão pouco constrangida como se estivesse sozinha. Ele está habituado a mulheres mais inibidas no que diz respeito a vestirem-se e despirem-se. Mas as mulheres a que ele está habituado não são tão jovens, tão perfeitas.

Nessa mesma tarde batem à porta do seu gabinete e um jovem que ele nunca viu antes entra. Senta-se sem ser convidado, lança um olhar em redor, acena para as prateleiras de livros com ar de aprovação.

É alto e forte; tem uma barbicha fina e um brinco; veste um casaco de couro preto e calças de couro pretas. Parece mais velho do que a maioria dos estudantes; o seu ar não augura nada de bom.

– Com que então você é o professor – diz ele. – O professor David. A Melanie já me falou de si.

– A sério? E que lhe disse ela?

– Que você anda a fodê-la.

Seguiu-se um longo silêncio. Portanto, pensa ele: as galinhas regressam ao poleiro. Devia ter adivinhado: uma rapariga daquelas não poderia estar livre.

– Quem é o senhor?

O visitante ignora a pergunta. – Pensa que é muito esperto – prossegue. – Um verdadeiro mulherengo. – Acha que vai continuar com esse ar inteligente quando a sua mulher souber o que anda a fazer?

– Chega. O que pretende?

– Não me diga que chega. – Agora as palavras saem-lhe mais depressa, num rufar de ameaça. – E não fique a pensar que pode entrar na vida das pessoas e sair quando muito bem lhe apetece. – A luz dança-lhe nos negros globos oculares. Inclina-se para a frente e atira as coisas que estão em cima da mesa para um lado e para o outro. Os papéis esvoaçam.

Levanta-se. – Chega! São horas de se pôr a andar!

– *São horas de se pôr a andar!* – repete o rapaz, imitando-o. – OK. – Levanta-se, encaminha-se vagarosamente para a porta.

– Adeus, Professor Chips[1]! Mas não perde pela demora! – Depois desaparece.

Um facínora, pensa ele. Ela anda metida com um facínora e agora eu também ando metido com o facínora dela! O estômago agita-se-lhe.

Apesar de ficar até tarde à espera dela, Melanie não regressa. Além disso, o carro dele, que estava estacionado na rua, é vandalizado. Os pneus são esvaziados, injectam-lhe cola nas fechaduras das portas, colam-lhe jornal ao pára-brisas, riscam-lhe a pintura. As fechaduras têm de ser substituídas; a conta ascende a seiscentos rands.

– Faz ideia de quem possa ter sido? – pergunta o serralheiro.

– Nenhuma – responde laconicamente.

Depois deste golpe de mão, Melanie mantém-se à distância. Ele não fica surpreendido: se ele foi humilhado, ela também. Mas na segunda-feira reaparece nas aulas; e, ao lado dela, recostado para trás na cadeira, mãos nos bolsos e ar petulante, encontra-se o rapaz de negro, o namorado.

Geralmente, escuta-se o burburinho dos alunos. Hoje está tudo em silêncio. Embora ele pense que eles não sabem o que se passa, é óbvio que estão à espera para ver o que ele vai fazer em relação ao intruso.

E o que vai ele fazer? É evidente que o que lhe aconteceu ao carro não foi o suficiente. É evidente que terá de pagar mais prestações. O que poderá ele fazer? Tem de cerrar os dentes e pagar, que remédio.

– Prosseguimos com Byron – diz ele, mergulhando nas suas anotações. – Como vimos na semana passada, a celebridade e o escândalo afectaram não apenas a vida de Byron mas também a forma como os seus poemas foram recebidos pelo público. Byron viu-se fundido com as suas próprias criações poéticas – com Harold, com Manfred, até mesmo com Don Juan.

Escândalo. É uma pena ser este o tema, mas ele não está em condições de improvisar.

---

[1] Referência à obra *Goodbye, Mr. Chips*, de James Hilton. (*N. do T.*)

Lança um olhar rápido a Melanie. Geralmente ela está sempre a escrever. Hoje, com um ar abatido e exausto, permanece sentada, enroscada por cima do livro. Não obstante a situação em que se encontra, a sua preocupação recai sobre ela. Pobre passarinho, pensa ele, que eu apertei contra o meu peito!

Mandara-os ler «Lara». As suas anotações são sobre «Lara». Não há forma de poder escapar ao poema. Lê em voz alta:

Era um estranho neste mundo respirado,
Espírito errante de um outro mundo tombado;
Uma coisa de obscuros intentos, que moldou
Pela escolha os perigos a que por sorte escapou.

– Qual de vocês vai dissecar estas linhas? – Quem é este «espírito errante»? Por que razão se autodenomina ele «uma coisa»? De que mundo vem ele?

Há já muito tempo que deixara de se surpreender com a ignorância dos seus alunos. Pós-cristãos, pós-história, pós-alfabetizados, até parecia que tinham nascido ontem. Por isso, não espera que saibam algo acerca de anjos caídos ou de onde Byron possa ter lido a seu respeito. O que ele espera é uma série de tentativas bem-intencionadas, as quais, com alguma sorte, ele poderá levar ao bom caminho. Mas hoje apenas há silêncio, um silêncio tenaz que se baseia obviamente na figura do desconhecido que se encontra entre eles. Não falarão, não entrarão no seu jogo enquanto um desconhecido ali estiver a escutar, a fazer julgamentos, a gozar.

– Lúcifer – diz ele. – O anjo caído do paraíso. Pouco sabemos acerca da forma como os anjos vivem, mas podemos partir do princípio de que não necessitam de oxigénio. Na sua terra, Lúcifer, o anjo negro, não tem necessidade de respirar. De repente, dá por si atirado para este mundo desconhecido «onde se respira». «Errante»: um ser que escolhe o seu próprio destino, que vive perigosamente, chegando mesmo a criar o perigo. Vamos ler mais um pouco.

O rapaz não olhou para o livro uma única vez. Em vez disso, com um pequeno sorriso nos lábios, um sorriso onde existe, possivelmente, um laivo de perplexidade, absorve as suas palavras.

> *Podia*
> *renunciar ao seu pelo bem que aos outros faria,*
> *Mas não por pena, por dever ou sentimento,*
> *Mas sim por uma estranha perversidade de pensamento,*
> *Que o impelia para a frente com um orgulho velado,*
> *A fazer o que poucos ou nenhuns teriam gizado;*
> *E este mesmo impulso iria, pela tentação,*
> *Conduzir ao crime a sua mente e o seu coração.*

– Portanto, que tipo de criatura é este Lúcifer?

Neste momento, de certeza que os alunos sentem a corrente a passar entre os dois – ele e o rapaz. A pergunta foi dirigida apenas ao rapaz; e, como quem acorda de repente, o rapaz responde. – Ele faz o que lhe apetece. Não lhe importa se é bom ou mau. Limita-se a fazê-lo.

– Exactamente. Bom ou mau, ele limita-se a fazê-lo. Ele não actua por princípios, mas sim por impulsos, e a fonte dos seus impulsos é-lhe desconhecida. Vamos ler mais umas linhas: – «A sua loucura não se encontra na cabeça, mas no coração». Um coração louco. O que é um coração louco?

Está a perguntar de mais. O rapaz gostaria de levar a sua intuição mais longe, compreende-o. Quer mostrar que não percebe apenas de motas e roupas vistosas. E se calhar até é verdade. Talvez saiba mesmo o que é ter um coração louco. Mas aqui, nesta sala de aula, na presença destes desconhecidos, as palavras não saem. Abana a cabeça.

– Não interessa. Reparem que não nos é pedido que condenemos este ser de coração louco, este ser com o qual há continuamente algo de errado. Pelo contrário, somos convidados a compreendê-lo e a simpatizar com ele. Mas existe um limite para a simpatia. Embora viva entre nós, não é um de nós. Ele é exactamente aquilo que se autodenomina: uma *coisa,* ou seja, um monstro. Por fim, Byron sugere que não será possível amá-lo, pelo menos no sentido mais profundo, no sentido mais humano da palavra. Ele será condenado à solidão.

As cabeças baixam-se, escrevinhando as suas palavras. Byron, Lúcifer, Caim, para eles é tudo o mesmo.

Terminam o poema. Manda-os ler em casa os primeiros cantos de *Don Juan* e termina a aula mais cedo. Chama-a por cima da cabeça dos alunos: – Melanie, posso falar consigo?

De rosto encovado, exausta, ela apresenta-se à sua frente. Está preocupado com ela uma vez mais. Se estivessem sozinhos, abraçá-la-ia, tentaria animá-la. *Minha pombinha,* chamar-lhe-ia.

Em vez disso, diz: – Vamos ao meu gabinete?

Com o namorado atrás deles, encaminha-a pelas escadas que levam ao seu gabinete. – Espere aqui – diz ele dirigindo-se ao rapaz e fechando-lhe a porta na cara.

Melanie senta-se à sua frente, cabisbaixa. – Minha querida – diz ele – está a atravessar uma fase difícil, sei disso, e não quero tornar-lhe as coisas ainda mais difíceis. Mas tenho de lhe falar como professor. Tenho obrigações para com os meus alunos, todos eles. O que o seu amigo faz fora da universidade é lá com ele. Mas não posso aceitar que venha perturbar as minhas aulas. Transmita-lhe esta mensagem, da minha parte.

»Quanto a si, terá de dedicar mais tempo aos estudos. Terá de vir às aulas com mais regularidade. E terá de fazer o teste a que faltou.

Ela olha-o fixamente, perplexa, até mesmo chocada. *Afastou-me de toda a gente,* parece querer dizer. *Fez-me guardar o seu segredo. Não sou apenas mais uma aluna. Como pode falar-me assim?*

A voz dela, quando surge, está tão embargada que ele mal consegue ouvi-la: – Não posso fazer o teste, não estudei.

O que ele quer dizer, não pode ser dito, não seria decente. Tudo o que pode é fazer-lhe sinal e esperar que ela compreenda. – Faça o teste, Melanie, como toda a gente. Não interessa que não esteja preparada, o que importa é que o faça. Vamos estabelecer uma data. Que tal na próxima segunda-feira, durante o intervalo para o almoço? Assim, terá o fim-de-semana para se preparar.

Ela ergue a cabeça e olha-o com ar de desafio. Ou não compreendeu ou está a recusar a ajuda.

– Segunda-feira, aqui no meu gabinete – repete ele.

Ela levanta-se, põe o saco ao ombro.

– Melanie, eu tenho responsabilidades. Pelo menos faça o teste. Não torne a situação ainda mais complicada.

Responsabilidades: ela nem se digna responder.

Ao regressar a casa de carro nessa noite depois de um concerto, pára num semáforo. Passa por ele uma moto, uma *Ducati* dourada com duas figuras vestidas de preto. Levam capacetes, mas ele reconhece-a. Melanie, no assento de trás, sentada com as pernas afastadas, o pélvis arqueado. É atacado por um arrepio rápido de luxúria. *Já ali estive!*, pensa. Depois a moto arranca a toda a velocidade, levando-a dali.

5

Melanie não aparece para o teste na segunda-feira. Em vez disso, encontra na caixa de correio uma desistência oficial: A aluna 771010ISAM Ms. M. Isaacs desistiu de COMK 312.

Pouco mais de uma hora depois recebe um telefonema.
– Professor Lurie? Tem um momento que me possa dispensar? O meu nome é Isaacs, estou a ligar de George. A minha filha é sua aluna, sabe, a Melanie?
– Sim.
– Professor, será que nos pode ajudar? A Melanie tem sido tão boa aluna e agora diz que quer desistir. Foi um choque terrível para nós.
– Não estou a compreender.
– Ela quer desistir dos estudos e arranjar um emprego. Parece-nos um desperdício, passar três anos na universidade com resultados tão bons e depois desistir tão perto do fim. Será que posso pedir-lhe, Professor, que tenha uma conversa com ela, que tente fazê-la ver as coisas?
– O senhor já falou com ela? Sabe que razões se escondem por detrás dessa decisão?
– Eu e a mãe dela passámos todo o fim-de-semana ao telefone, mas não conseguimos demovê-la. Ela anda muito envolvida numa peça de teatro e talvez esteja com excesso de trabalho, talvez seja *stress*. Ela leva sempre as coisas muito a peito, Professor, é a sua maneira de ser, envolve-se de mais nas coisas. Mas, se falar com ela, talvez possa per-

suadi-la a repensar esta decisão. Ela respeita-o tanto. Não queremos que ela desperdice todos estes anos.

Com que então, a Melanie-Melénie com as suas bugigangas da Oriental Plaza e o seu desconhecimento de Wordsworth, leva as coisas a peito. Ninguém diria. Que mais não saberá ele acerca dela?

– Mr. Isaacs, não sei se serei a pessoa indicada para falar com a Melanie.

– Mas é, Professor, é! Como lhe disse, a Melanie respeita-o muito.

Respeito? Está desactualizado, Mr. Isaacs. A sua filha perdeu- -me o respeito há semanas atrás e com boas razões. Era o que ele deveria ter dito. – Verei o que posso fazer – foi o que ele disse.

Não se safará desta, pensa consigo mesmo mais tarde. Nem o pai Isaacs, na longínqua George, esquecerá esta conversa, com as suas mentiras e evasivas. *Verei o que posso fazer.* Por que não dizer a verdade? *Sou o bicho da maçã,* deveria ter dito. *Como posso eu ajudá-lo se sou a fonte do seu infortúnio?*

Telefona para o apartamento de Melanie e atende a prima Pauline. Melanie não está disponível, explica-lhe Pauline numa voz reservada. – O que quer dizer com não está disponível?

– Quero dizer que ela não quer falar consigo.

– Diga-lhe – diz ele – que é acerca da sua decisão de desistir. Diga-lhe que ela está a precipitar-se.

A aula de quarta-feira corre mal, a de quinta ainda pior. Aparecem poucos alunos; os únicos que aparecem são os submissos, os passivos, os dóceis. Só pode haver uma explicação. Já se sabe da história.

Encontra-se na secretaria do departamento quando escuta uma voz por detrás dele: – Onde posso encontrar o Professor Lurie?

– Estou aqui – diz ele sem pensar.

O homem que falou é baixo, magro, de ombros curvados. Traz vestido um fato azul grande de mais para ele e cheira a tabaco.

– Professor Lurie? Falámos ao telefone. Isaacs.

– Sei. Como está? Vamos para o meu gabinete?

– Não é necessário. – O homem faz uma pausa, recompõe-se, respira fundo. – Professor – começa por dizer, acentuando a palavra – o senhor pode ter muita instrução e isso tudo, mas aquilo que fez não está correcto. – Faz uma pausa, abana a cabeça. – Não está correcto.

As duas secretárias não fingem esconder a sua curiosidade. Também se encontram alunos na secretaria; quando a voz do desconhecido sobe de tom, ficam em silêncio.

– Nós colocamos os nossos filhos nas vossas mãos, porque pensamos que podemos confiar em vocês. Se não podemos confiar na universidade, em quem podemos nós confiar? Nunca pensámos que íamos mandar a nossa filha para um ninho de víboras. Não, Professor Lurie, o senhor pode ser grande e poderoso e ter todo o género de diplomas, mas se eu fosse o senhor, tinha vergonha na cara, por amor de Deus. Se eu estiver enganado, agora é a sua oportunidade de falar, mas não me parece, consigo vê-lo na sua cara.

De facto, a oportunidade é esta: quem tiver de falar que fale. Mas ele permanece de língua presa, com o sangue a latejar-lhe com força nas orelhas. Uma víbora: como negá-lo?

– Desculpe – murmura – tenho de ir tratar de um assunto. – Volta-lhe as costas e afasta-se.

Isaacs segue-o pelo corredor apinhado de gente. – Não pode fugir desta maneira! Não foi a última vez que teve notícias minhas, pode ter a certeza!

É assim que começa. Na manhã seguinte, com uma rapidez surpreendente, recebe um memorando do gabinete do Vice-Reitor (assuntos Relacionados com Alunos) notificando-o de que foi apresentada uma queixa contra ele ao abrigo do artigo 3.1 do Código de Conduta da Universidade. É convocado a comparecer no gabinete do Vice-Reitor assim que tiver oportunidade.

A notificação – que lhe é entregue num envelope com o carimbo de *Confidencial* – é acompanhada por uma cópia do código. O artigo 3 é sobre maus tratos ou assédio com base na raça, grupo étnico, religião, preferências sexuais ou deficiências físicas. O artigo 3.1 é sobre maus tratos ou assédio por parte dos professores aos alunos.

Um segundo documento descreve a constituição e as competências das comissões de inquérito. Lê-o com o coração a bater de uma forma desagradável. A meio da leitura, desconcentra-se. Levanta-se, fecha a porta do gabinete e senta-se com o papel na mão, tentando imaginar o que aconteceu.

Melanie não teria tomado uma decisão destas sozinha, está certo disso. Ela é inocente de mais para tal, ignora o seu poder. O outro, o homenzinho a quem o fato assentava mal, deve estar por detrás de tudo isto, ele e a prima Pauline, a feia, a dama de companhia. Devem ter sido eles a convencê-la, devem tê-la desgastado e depois encaminhado para os gabinetes da administração.

– Queremos apresentar uma queixa – devem ter dito.

– Apresentar uma queixa? Que tipo de queixa?

– É pessoal.

– Assédio – teria dito a prima Pauline, enquanto Melanie permanecia calada, envergonhada. – Contra um professor.

– Dirijam-se à sala tal-e-tal.

Na sala tal-e-tal ele, Isaacs, tornar-se-ia mais impetuoso.

– Queremos apresentar uma queixa contra um dos vossos professores.

– Já pensaram bem sobre o assunto? É mesmo isso que pretendem fazer? – responderiam, obedecendo às normas.

– Já. Sabemos perfeitamente o que queremos fazer – diria ele, olhando de relance para a filha, desafiando-a a contestar.

Há um impresso para preencher. Colocam à frente deles o impresso e uma caneta. Uma mão pega na caneta, uma mão que ele beijou, uma mão que ele conhece intimamente. Primeiro, o nome do queixoso: MELANIE ISAACS, em letras maiúsculas cuidadosamente desenhadas. A mão vacila pela coluna de quadrados, à procura daquele que deve marcar. *Ali,* aponta o dedo do pai manchado de nicotina. A mão abranda, pousa, desenha um X, a sua cruz da virtude: *J'accuse.* Depois, um espaço para o nome do acusado. DAVID LURIE, escreve a mão: PROFESSOR. Por fim, ao fundo da página, a data e a assinatura dela: o arabesco do *M,* o *l* formando um arco para cima, a acutilância do *I,* o floreado do *s* final.

Está feito. Dois nomes naquela página, o dele e o dela, lado a lado. Os dois na cama, já não amantes, mas adversários.

Dirige-se ao gabinete do Vice-Reitor e marcam-lhe uma entrevista para as cinco horas, fora do horário normal.

Às cinco horas está à espera no corredor. Aram Hakim, polido e jovial, aparece e apressa-se a mandá-lo entrar. Encontram-se já duas pessoas na sala: Elaine Winter, presidente do departamento e Farodia Rassool das Ciências Sociais, presidente da comissão de discriminação da universidade.

– É tarde, David, e todos sabemos porque aqui estamos – diz Hakim. – Por isso, vamos directos ao assunto. Qual será a melhor forma de tratarmos deste caso?

– Pode explicar-me de que trata a queixa.

– Muito bem. Estamos a falar de uma queixa apresentada pela Ms. Melanie Isaacs. Também acerca de – olha de relance para Elaine Winter – algumas irregularidades anteriores que parecem implicar Ms. Isaacs. Elaine?

Elaine Winter aproveita a deixa. Nunca gostou dele; considera-o uma ressaca do passado que quanto mais depressa for ultrapassada melhor. – Existe uma investigação acerca da folha de presenças de Ms. Isaacs, David. Segundo ela – falei com ela ao telefone – esteve presente apenas em duas aulas no mês passado. Se isso é verdade, deveria ter sido comunicado. Ela diz que também não foi ao teste do meio do período. Contudo – olha para o ficheiro que tem à sua frente – segundo os seus registos, ela nunca faltou e tem uma nota de dezassete no teste. – Olha para ele com ar confuso. – Por isso, a menos que existam duas Melanie Isaacs...

– Só existe uma – diz ele. – Não tenho qualquer defesa.

Hakim intervém suavemente. – Amigos, não é o local nem o momento para entrarmos em pormenores. O que devemos fazer – olha de relance para os outros dois – é estabelecer os procedimentos. Não será preciso dizer-lhe, David, que este assunto será tratado com a maior confidencialidade, disso pode estar certo. O seu nome será protegido e o de Ms. Isaacs também. Será criada uma comissão. A sua função será determinar se existem fundamentos para um procedimento disciplinar. O senhor ou o seu representante legal terão oportunidade de se oporem aos elementos que dela farão parte. As audiências terão lugar à porta fechada. Entretanto, até a comissão fazer uma recomendação ao Reitor e o Reitor actuar, tudo continua como dantes. Ms. Isaacs desistiu oficialmente do seu curso e espera-se que evite qualquer contacto com ela. Estou a esquecer-me de alguma coisa, Farodia, Elaine?

De lábios cerrados, a Dra. Rassool abana a cabeça.

– São sempre complicadas estas coisas de assédio, David, complicadas e lamentáveis, mas acreditamos que os nossos procedimentos são bons e justos, por isso vamos prosseguindo passo a passo, obedecendo às regras. Eu sugiro que conheça bem os procedimentos e talvez seja boa ideia arranjar ajuda legal.

Ele está prestes a responder, mas Hakim ergue a mão em sinal de aviso. – Pense melhor sobre o caso, David – diz ele.

Já está farto. – Não me digam o que devo fazer, não sou uma criança.

Deixa-os, furibundo. Mas o edifício já está fechado e o porteiro foi para casa. A saída das traseiras também está fechada. Hakim tem de o acompanhar à saída.

Está a chover. – Eu levo-o lá com o meu guarda-chuva – diz Hakim; depois, ao pé do carro: – Falando pessoalmente, David, quero dizer-lhe que tem todo o meu apoio. A sério. Estas coisas são o diabo.

Há anos que conhece Hakim, costumavam jogar ténis juntos, mas não está com disposição para intimidades masculinas. Irritado, encolhe os ombros e entra no carro.

O caso devia ser confidencial, mas claro que não é, claro que as pessoas falam. Por que outra razão, quando entra na sala dos professores, se faz silêncio; por que outra razão uma colega mais nova, com quem até então tinha uma relação cordial, pousa a chávena e se afasta, como se não o tivesse visto? Por que razão apenas dois alunos aparecem na primeira aula sobre Baudelaire?

O moinho das bisbilhotices, pensa, trabalhando noite e dia, moendo reputações. A comunidade dos virtuosos, à conversa pelas esquinas, ao telefone, à porta fechada. Murmúrios exultantes. *Schadenfreude.* Primeiro a sentença, depois o julgamento.

Nos corredores do Edifício das Comunicações faz questão de caminhar de cabeça erguida.

Fala com o advogado que lhe tratou do divórcio. – Antes de mais nada, vamos esclarecer as coisas – diz o advogado. – Até que ponto as alegações são verdadeiras?

– São bastante verdadeiras. Eu tinha um caso com a rapariga.

– E era sério?

– O facto de ser sério pode piorar ou melhorar as coisas? Depois de certa idade, todos os casos são sérios. Como os ataques cardíacos.

– Bom, estrategicamente, o meu conselho é que arranje uma mulher para o representar. – Indica dois nomes. – Tente chegar a um acordo. Proponha-lhes tomar medidas, talvez meter uma licença, em troca do que a universidade convence a rapariga, ou a família dela, a retirar as acusações. É a sua melhor possibilidade. Levar com um cartão amarelo. Minimizar os danos, esperar que o escândalo caia no esquecimento.

– Que género de medidas?

– Treino de sensibilização. Serviço comunitário. Um serviço de aconselhamento. Aquilo que conseguir negociar.

– Aconselhamento? Eu preciso de aconselhamento?

– Não me interprete mal. Estou apenas a dizer que uma das opções que lhe podem apresentar pode ser o aconselhamento.

– Para me tratar? Para me curar? Para curar desejos inadequados?

O advogado encolhe os ombros. – Como queira.

Na universidade é a Semana de Consciencialização contra a Violação. A associação WAR[1] (Women Against Rape), Mulheres contra a Violação, anunciam uma vigília de vinte e quatro horas em solidariedade para com «vítimas recentes». Introduzem um panfleto por baixo da porta dele: «AS MULHERES FAZEM-SE OUVIR». Escrito a lápis no fundo da página uma mensagem diz: «OS TEUS DIAS ESTÃO CONTADOS, CASANOVA».

Janta com a ex-mulher, Rosalind. Há oito anos que estão separados; lentamente, cautelosamente, começam a tornar-se amigos novamente, ou mais ou menos. Veteranos de guerra. Gosta de saber que Rosalind ainda vive perto; talvez ela sinta o mesmo em relação a ele. Alguém com quem pode contar quando acontece o pior: uma queda na casa de banho, o sangue no banco.

Falam sobre Lucy, único tema do seu primeiro casamento e que vive actualmente numa quinta em Eastern Cape. – Devo estar com ela em breve – diz. – Estou a pensar fazer uma viagem.

– Durante o período de aulas?

– O período está quase a acabar. Faltam apenas mais duas semanas.

– Terá alguma coisa a ver com os problemas que tens tido? Ouvi dizer que tens tido uns problemas.

– Onde ouviste isso?

– As pessoas falam, David. Toda a gente sabe deste teu último caso até ao mais ínfimo pormenor. Ninguém tem interesse em abafar o caso, excepto tu. Posso dizer-te até que ponto considero estúpido este caso?

– Não, não podes.

– Mas vou dizer na mesma. Estúpido e feio. Não sei o que fazes sexualmente e nem quero saber, mas esse não é o caminho certo. Tens quantos... cinquenta e dois anos? Achas

---

[1] Trocadilho com a palavra «guerra» (war). (N. do T.)

que uma jovem tem algum prazer em ir para a cama com um homem da tua idade? Achas que ela aprecia ver-te a meio do teu...? Já pensaste bem nisso?

Ele permanece em silêncio.

– Não esperes que tenha pena de ti, David, e nem esperes que alguém tenha. Nem simpatia, nem clemência, pelo menos nos dias de hoje. Todos estarão contra ti e por que não hão-de estar? Com franqueza, como *foste capaz*?

O velho tom regressou, o tom dos últimos anos do seu casamento: recriminação apaixonada. Até Rosalind deve aperceber-se disso. Contudo, talvez tenha razão. Talvez os jovens tenham direito a ser protegidos contra a visão dos mais velhos nos espasmos da paixão. Afinal de contas, é para isso que servem as prostitutas: para aturar os êxtases dos feios.

– Seja como for – prossegue Rosalind – dizes que vais visitar Lucy.

– Sim, pensei passar algum tempo com ela depois do inquérito.

– Depois do inquérito?

– Na próxima semana, vai reunir-se uma comissão de inquérito.

– Foi muito rápido. E depois de veres a Lucy?

– Não sei. Não sei se me permitirão regressar à universidade. Também não sei se quero.

Rosalind abana a cabeça. – Um fim inglório para a tua carreira, não achas? Nem te pergunto se o que esta rapariga te deu em troca valeu a pena. O que vais fazer para passar o tempo? E a tua pensão?

– Chegarei a um acordo com eles. Não me podem mandar embora sem um tostão.

– Será que não? Eu não tinha assim tanto a certeza. Que idade tem ela... a tua enamorada?

– Vinte anos. Idade suficiente para saber o que quer.

– Consta que ela tomou comprimidos para dormir. É verdade?

– Não sei nada acerca de comprimidos para dormir. Parece-me um estratagema. Quem te contou isso dos comprimidos?

Ela ignora a pergunta. – Ela estava apaixonada por ti? Abandonaste-a?

– Não. Nada disso.

– Então, porquê esta queixa?

– Sabe-se lá? Ela não me disse. Houve uma confusão de bastidores que eu não consegui descortinar. Houve um namorado ciumento. Houve familiares indignados. Ela deve ter cedido. Fui apanhado completamente de surpresa.

– Devias saber, David. És demasiado velho para andares metido com as filhas dos outros. Devias ter previsto o pior. De qualquer forma, isto é tudo muito degradante. Com franqueza.

– Não me perguntaste se eu a amo. Não devias fazê-lo?

– Muito bem. Estás apaixonado por esta jovem que está a arrastar o teu nome pela lama?

– Ela não tem culpa. Não a culpes.

– Não a culpes? Estás do lado de quem, afinal? É claro que a culpo! Culpo-te a ti e culpo-a a ela. Esta história é vergonhosa do princípio ao fim. Vergonhosa e sórdida. E não lamento dizê-lo.

Noutros tempos, depois disto, ele teria explodido. Mas esta noite não. Tornaram-se imunes um ao outro.

No dia seguinte, Rosalind telefona-lhe. – David, leste o *Argus* de hoje?

– Não.

– Bom, regozija-te. Publicaram um artigo sobre ti.

– O que diz?

– Lê tu mesmo.

O artigo vem na página três: «Professor acusado de assédio sexual» é o título. Passa os olhos pelas primeiras linhas. «... é convocado a comparecer perante uma comissão disciplinar, acusado de assédio sexual. O CTU não revela qualquer pormenor acerca de uma série de escândalos, incluindo pagamentos fraudulentos de bolsas de estudo e alegados círculos sexuais ocorridos fora das residências de estudantes. Lurie (53), autor de um livro sobre o poeta naturalista de origem inglesa William Wordsworth, não se disponibilizou para qualquer esclarecimento.»

William Wordsworth (1770-1850), poeta naturalista. David Lurie (1945-?) estudioso e desafortunado discípulo de William Wordsworth. Abençoada seja a criança. Proscrita não seja. Abençoada seja a criança.

6

A audiência tem lugar numa sala de reuniões contígua ao gabinete de Hakim. É conduzido para dentro da sala e indicam-lhe uma cadeira na cabeceira da mesa ao lado de Manas Mathabane, em pessoa, Professor de Estudos Religiosos, que irá presidir ao inquérito. À sua esquerda encontra-se Hakim, a sua secretária e uma jovem, uma aluna qualquer; à sua direita encontram-se os três membros da comissão de Mathabane.

Não se sente nervoso. Pelo contrário, sente-se bastante seguro. O coração bate serenamente, dormiu bem. Vaidade, pensa ele, a perigosa vaidade do jogador; vaidade e integridade. Está a abordar a questão com a atitude errada. Mas não se importa.

Cumprimenta os membros da comissão. Conhece dois deles: Farodia Rassool e Desmond Swarts, Decano de Engenharia. O terceiro, segundo os papéis que se encontram diante dele, dá aulas na Escola de Comércio.

– As pessoas aqui hoje reunidas, Professor Lurie – diz Mathabane, dando início aos procedimentos – não têm qualquer poder. Tudo o que podem fazer são recomendações. Além disso, o senhor tem o direito de se opor à composição desta comissão. Por isso, permita que lhe pergunte: há algum membro desta comissão cuja presença o possa prejudicar?

– Não tenho nada a opor, em termos legais – responde. – Coloco reservas, de um ponto de vista filosófico, mas penso que isso está fora de questão.

Reacção geral, corpos que se mexem, pés que arrastam.
– Penso que será melhor cingirmo-nos ao ponto de vista legal – diz Mathabane. – Tem alguma coisa a opor à composição desta comissão? Tem alguma coisa a opor à presença de uma aluna, na qualidade de observadora da Liga contra a Discriminação?
– Nada receio da comissão. Nada receio da observadora.
– Muito bem. Prossigamos. A primeira queixosa é Ms. Melanie Isaacs, uma aluna do curso de teatro, que apresentou uma queixa da qual todos têm cópias. Será necessário resumir a queixa? Professor Lurie?
– Estarei enganado, Sr. Presidente, ou Ms. Isaacs não estará presente?
– Ms. Isaacs foi convocada ontem. Deixe-me relembrá--lo de que isto é um inquérito e não um julgamento. As nossas regras não são as mesmas de um tribunal. Há algum problema?
– Não.
– Uma segunda queixa relacionada com o caso – prossegue Mathabane – chega-nos da parte dos serviços administrativos, através do Gabinete dos Registos Escolares e diz respeito à validade da folha de presença de Ms. Isaacs. Consta que Ms. Isaacs faltou a todas as aulas, não apresentou o trabalho escrito nem efectuou todos os testes que o senhor avaliou.
– É tudo? São essas as acusações?
– São.
Respira fundo. – Estou certo de que os membros desta comissão têm mais o que fazer do que repetir uma história sobre a qual não haverá qualquer disputa. Considero-me culpado de ambas as acusações. Profiram a sentença e continuemos com as nossas vidas.
Hakim aproxima-se de Methabane. Trocam palavras em voz baixa.
– Professor Lurie – diz Hakim. – Repito-lhe que esta é uma comissão de inquérito. O nosso papel é escutar ambas as partes e fazer uma recomendação. Não temos poder de decisão. Pergunto uma vez mais se não seria melhor fazer-

-se representar por alguém que conheça os nossos procedimentos?

– Não preciso de representante nenhum. Posso representar-me muito bem. Devo depreender que, apesar da alegação que acabei de fazer, deveremos prosseguir com a audiência?

– Queremos dar-lhe a oportunidade de nos contar a sua versão dos acontecimentos.

– Já apresentei a minha versão dos acontecimentos. Sou culpado.

– Culpado de quê?

– Daquilo de que me acusam.

– Estamos a andar em círculos, Professor Lurie.

– De tudo o que Ms. Isaacs declara e de dar notas falsas.

Farodia Rassool intervém. – O senhor diz que aceita a declaração de Ms. Isaacs, Professor Lurie, mas deu-se ao trabalho de a ler?

– Não quero ler a declaração de Ms. Isaacs. Aceito-a. Não vejo qualquer razão para Ms. Isaacs mentir.

– Mas não acha que seria prudente ler a declaração antes de a aceitar?

– Não. Há coisas mais importantes na vida do que ser prudente.

Farodia Rassool encosta-se na cadeira. – Isso é tudo muito quixotesco, Professor Lurie, mas será que pode arcar com as consequências? Parece-me que temos o dever de o proteger de si mesmo. – Lança um sorriso frio a Hakim.

– Diz que não procurou apoio legal. Consultou alguém, um padre, por exemplo, ou um conselheiro? Estaria disposto a frequentar uma sessão de aconselhamento?

A pergunta é colocada pela jovem professora da Escola de Comércio. Sente-se todo eriçado. – Não, não procurei aconselhamento nem pretendo fazê-lo. Sou um homem adulto. Não estou receptivo a nenhum tipo de aconselhamento. Estou muito para lá do aconselhamento. – Volta-se para Mathabane. – Já fiz a minha alegação. Há alguma razão para este debate prosseguir?

Segue-se nova troca de murmúrios entre Mathabane e Hakim.

– Foi proposto – diz Mathabene – que seja suspensa a sessão para discussão da alegação do Professor Lurie.

Todos concordam com um acenar de cabeça.

– Professor Lurie, posso pedir-lhe que nos deixe por alguns minutos para deliberarmos. Ms. van Wyk também.

Ele retira-se para o gabinete de Hakim com a aluna observadora. Não trocam qualquer palavra; é óbvio que a rapariga se sente pouco à vontade. «OS TEUS DIAS ESTÃO CONTADOS, CASANOVA». O que pensará ela do Casanova, agora que o conhece?

Chamam-nos de volta. A atmosfera da sala não é nada boa: amarga, parece-lhe.

– Então – diz Mathabane – resumindo: o senhor, Professor Lurie, afirma que aceita a verdade das acusações que lhe são dirigidas?

– Aceito seja o que for que Ms. Isaacs alega.

– Dra. Rassool, quer dizer alguma coisa?

– Quero. Quero apresentar uma objecção relativamente às respostas do Professor Lurie, as quais considero fundamentalmente evasivas. O Professor Lurie diz que aceita as acusações. Contudo, quando pretendemos que ele diga aquilo que na realidade aceita, tudo o que recebemos é uma zombaria subtil. O que me sugere que ele aceita as acusações apenas por aceitar. Num caso tão rico em implicações como este, a comunidade tem o direito...

Ele não pode permitir que isto prossiga. – Não há quaisquer implicações neste caso – diz ele numa explosão de raiva.

– A comunidade tem o direito de saber – prossegue ela, elevando o tom de voz com uma facilidade feita de experiência, sobrepondo a sua voz à dele – aquilo que o Professor Lurie confessa e, por conseguinte, aquilo de que é censurado.

– Se for censurado – diz Mathabane.

– Se for censurado. Não estaremos a cumprir o nosso dever se não tivermos uma visão clara e se não conseguirmos fazer uma recomendação clara acerca daquilo por que o Professor Lurie está a ser censurado.

– Eu creio que temos uma visão clara, Dra. Rassool. A questão é se o Professor Lurie tem uma visão clara.

– Exactamente. Disse exactamente o que eu queria exprimir.

Seria sensato ficar calado mas não o faz. – A minha visão só a mim diz respeito, Farodia – diz ele. – Com franqueza, o que pretendem de mim não é uma resposta, mas uma confissão. Pois bem, não farei qualquer confissão. Fiz uma alegação, conforme é meu direito. Culpado do que me acusam. É essa a minha alegação. Não estou disposto a ir mais longe.

– Senhor Presidente, devo protestar. O assunto vai além dos meros pormenores técnicos. O Professor Lurie dá-se como culpado, mas eu coloco a questão: aceitará ele a sua culpa ou estará apenas a simular na esperança de que o caso seja arquivado e esquecido? Se ele está apenas a simular, insisto que se imponha o castigo mais severo.

– Deixe-me que lhe relembre, Dra. Rassool – diz Mathabane – que não nos cabe a nós impor castigos.

– Então devemos recomendar o castigo mais severo. Que o Professor Lurie seja despedido de imediato e perca todos os benefícios e privilégios.

– David? – quem o diz é Desmond Swarts, que não tinha falado até então. – David, tem a certeza de estar a lidar com a situação da forma mais adequada? – Volta-se para o Presidente. – Senhor Presidente, como eu disse quando o Professor não se encontrava na sala, acredito que, como membros da comunidade universitária, não devemos actuar contra um colega de uma forma fria e formal. David, tem a certeza de que não quer adiar a sessão para ter mais algum tempo para reflectir e talvez até consultar alguém?

– Porquê? Tenho de reflectir sobre o quê?

– Sobre a gravidade da sua situação, a qual eu não tenho a certeza de estar a compreender. Para ir directo ao assunto, está na iminência de perder o emprego. O que não é brincadeira, nos dias que correm.

– Então o que me aconselha a fazer? Que acabe com aquilo que a Dra. Rassool apelidou de tom zombeteiro? Que derrame lágrimas de arrependimento? O que tenho de fazer para me salvar?

– Pode não acreditar, David, mas nós não somos seus inimigos. Todos nós temos os nossos momentos de fraqueza, somos apenas humanos. O seu caso não é único. Gostaríamos de encontrar uma forma de poder prosseguir a sua carreira.

Hakim junta-se-lhe rapidamente. – David, gostaríamos de o ajudar a sair daquilo que deve ser um pesadelo.

São seus amigos. Querem salvá-lo da sua fraqueza, acordá-lo do seu pesadelo. Não querem vê-lo pelas ruas a pedir. Querem que ele regresse à sala de aula.

– Por entre este coro de boa vontade – diz ele – não escuto qualquer voz feminina.

Faz-se silêncio.

– Muito bem – diz ele – permitam-me que confesse. A história começa num certo fim de tarde, não me lembro da data, mas não foi há muito tempo. Passava eu pelos jardins da universidade quando, por acaso, encontro a jovem em questão, Ms. Isaacs. Os nossos caminhos cruzaram-se. Trocámos algumas palavras e, nesse momento, algo aconteceu que, não sendo poeta, não tentarei descrever. Será suficiente dizer que Eros entrou em acção. Depois disso, eu não era o mesmo.

– Não era o mesmo como? – pergunta a mulher de negócios cuidadosamente.

– Não era eu mesmo. Não era o divorciado de cinquenta anos com um triste fim. Tornei-me escravo de Eros.

– Isso que nos está a dizer é a sua defesa? Um impulso incontrolável?

– Não é a minha defesa. Querem uma confissão, eu dou-lhes uma confissão. Quanto ao impulso, não foi incontrolável. Já controlei impulsos semelhantes várias vezes no passado, envergonho-me de o dizer.

– Não acha – diz Swarts – que, pela sua natureza, a vida académica deve obrigar a certos sacrifícios? Que, para o bem de todos, temos de negar a nós mesmos certos prazeres?

– Está a pensar na proibição de intimidade entre gerações?

– Não, não necessariamente. Mas, como professores, ocupamos posições de poder. Talvez esteja a pensar na proibição de misturar relações de poder com relações sexuais. O que, acho eu, é aquilo que estamos aqui a tratar. Ou então, de um cuidado extremo.

Farodia Rassool intervém. – Andamos outra vez em círculos, Senhor Presidente. Sim, ele diz que é culpado; mas quando tentamos que especifique, de repente não é o abuso de uma jovem que ele está a confessar, apenas um impulso ao qual não pôde resistir, sem qualquer referência ao sofrimento que provocou, sem qualquer referência à longa história de exploração da qual faz parte. Por isso é que eu digo que é uma perda de tempo conversar com o Professor Lurie. Devemos levar a alegação dele a sério e fazer a recomendação adequada.

Abuso: já estava à espera da palavra. Proferida com uma voz palpitante de virtude. O que verá ela, quando olha para ele, que lhe provoca uma raiva tão intensa? Um tubarão entre os peixinhos indefesos? Ou terá outra visão: um homem enorme e forte deitando por terra uma menina, abafando-lhe o choro com uma mão enorme? Que absurdo! Depois lembra-se: estiveram reunidos nesta mesma sala ontem e ela, Melanie, que mal lhe chega ao ombro, esteve perante eles. Desiguais: como negá-lo?

– Eu concordo com a Dra. Rassool – diz a mulher de negócios. – A menos que o Professor Lurie queira acrescentar alguma coisa, penso que deveríamos tomar uma decisão.

– Antes de o fazermos, Senhor Presidente – diz Swarts – gostaria de falar uma última vez com o Professor Lurie. Haverá algum tipo de declaração que ele esteja disposto a subscrever?

– Porquê? É assim tão importante que eu subscreva uma declaração?

– Porque ajudaria a arrefecer aquilo que se tornou uma situação bastante escaldante. Nós preferíamos resolver este caso sem o envolvimento dos meios de comunicação. Mas tal não foi possível. O caso foi alvo de muitas atenções, teve implicações que não conseguimos controlar. Todas as atenções estão voltadas para a universidade para verem como resolvemos o problema. Ao escutá-lo, David, fico com a impressão de que pensa que está a ser tratado injustamente. O que é um erro. Os membros desta comissão tentam chegar a um acordo que lhe permita manter o seu emprego. Por isso é que eu lhe pergunto se não haverá algum género de declaração pública que seja do seu agrado e que nos permita fazer uma recomendação que não seja a sanção mais severa, nomeadamente, despedimento com censura.

– Quer dizer, que eu me humilhe e peça clemência?

Swarts suspira. – David, não adianta nada escarnecer dos nossos esforços. Pelo menos, aceite um adiamento, para poder reflectir sobre a sua situação.

– O que pretendem incluir na declaração?

– Que admita que errou.

– Já admiti isso. De livre e espontânea vontade. Sou culpado daquilo de que me acusam.

– Não brinque connosco, David. Existe uma diferença entre declarar-se culpado e admitir que errou, sabe isso muito bem.

– E assim ficavam satisfeitos: se eu admitisse que errei?

– Não – diz Farodia Rassool. – Isso seria colocar o carro à frente dos bois. *Primeiro,* o Professor Lurie deve fazer a declaração. *Só depois,* poderemos decidir se aceitamos atenuar a pena que constará da recomendação. Não negociamos de antemão o que deve ser incluído na declaração. A declaração deve ser da autoria dele, com as suas próprias palavras. Só então veremos se falou com o coração.

– E acha que vão conseguir, através das palavras que eu utilizar, descobrir se falei com o coração?

– Conseguiremos descobrir a atitude expressa. Conseguiremos descobrir se exprime arrependimento.

– Muito bem. Aproveitei-me da minha posição em relação a Ms. Isaacs. Foi errado e lamento tê-lo feito. Isto é suficiente para si?

– O que interessa não é saber se é suficiente para mim ou não, Professor Lurie, o que interessa é saber se é suficiente para *si*. O que disse é reflexo daquilo que sente?

Ele abana a cabeça. – Já lhes disse as palavras, agora querem mais, querem que eu demonstre sinceridade. Isto é um absurdo. Vai além do âmbito da lei. Para mim chega. Voltemos a obedecer às regras legais. Considero-me culpado. Não estou disposto a ir mais longe.

– Muito bem – diz Mathabane do seu lugar. – Se ninguém quer colocar mais questões ao Professor Lurie, agradeço-lhe a sua presença e autorizo-o a sair.

De início, não o reconhecem. Já vai a meio das escadas quando escuta o grito *É ele!* seguido por um tumulto de pés.

Aproximam-se dele ao fundo das escadas; um chega mesmo a agarrar-lhe o casaco para o reter.

– Podemos falar consigo só por um momento, Professor Lurie? – diz uma voz.

Ignora-a, tentando abrir passagem pelo corredor apinhado de gente, onde as pessoas se voltam para observarem um homem alto que foge aos perseguidores.

Alguém lhe barra a passagem. – Pare! – diz ela. Ele desvia o rosto, estende uma mão. Vê-se um clarão.

Uma rapariga anda em torno dele. O cabelo, entrançado em cachos ambarinos, cai-lhe de ambos os lados do rosto. Sorri, mostrando uns dentes brancos regulares. – Não podemos conversar? – pergunta ela.

– Acerca de quê?

Atira-lhe para a frente um gravador de cassetes. Ele afasta-o.

– De como correu – diz a rapariga.

– De como correu o quê?

A máquina lança outro clarão.

– Sabe muito bem, a audiência.

– Não posso fazer qualquer comentário sobre isso.

– Está bem, então sobre o que é que pode fazer comentários?

– Não quero fazer comentários sobre coisa nenhuma.

Os ociosos e os curiosos começaram a juntar-se à sua volta. Se ele quiser afastar-se, terá de abrir caminho pelo meio deles.

– Está arrependido? – pergunta a rapariga. Aproxima mais o gravador.– Arrepende-se do que fez?

– Não – responde ele. – A experiência foi enriquecedora.

O sorriso permanece no rosto da rapariga. – Então voltava a fazê-lo?

– Penso que não terei outra oportunidade.

– Mas se tivesse essa oportunidade?

– Isso não é uma pergunta real.

Ela quer mais, mais palavras para alimentar a máquina, mas de momento não sabe como sugar-lhe mais informações indiscretas.

– O que é que a experiência foi? – consegue escutar alguém a perguntar *sotto voce*.

– Enriquecedora.

Seguem-se risinhos abafados.

– Pergunte-lhe se ele pediu desculpa – diz alguém à rapariga.

– Já perguntei.

Confissões, pedidos de desculpa: porquê esta sede de humilhação? Segue-se um momento de silêncio. Permanecem em torno dele como caçadores que encurralaram um animal desconhecido e não sabem como matá-lo.

A fotografia aparece no jornal dos alunos do dia seguinte por cima do título «Quem é o Asno Agora?». Ele aparece de olhos voltados para o céu, esticando o braço em direcção à câmara. A pose é ridícula por si só, mas o que a torna numa verdadeira pedra preciosa é o cesto de lixo de pernas para o ar que um jovem, com um largo sorriso, segura por cima da sua cabeça. Por um artifício da perspectiva, o cesto parece assentar-lhe na cabeça como as orelhas de papel de um aluno ignorante. Que hipótese tem ele contra aquela imagem?

«Comissão nada adianta acerca do veredicto», diz o cabeçalho. «A comissão disciplinar que investiga as acusações de assédio sexual e má conduta contra o Professor de Comunicação David Lurie nada adiantou ontem quanto ao veredicto. O Presidente Manas Mathabane disse apenas que as conclusões foram encaminhadas para o Reitor que agirá em conformidade.

Numa troca de palavras com membros da WAR após a audiência, Lurie (53) afirmou considerar as suas experiências com alunas "enriquecedoras".

Os problemas começaram para Lurie, especialista em poesia romântica, quando alunos seus apresentaram queixa contra ele.»

Recebe um telefonema de Mathabane. – A comissão já transmitiu a recomendação, David, e o Reitor pediu-me que tentasse falar consigo uma última vez. Afirma que está disposto a não tomar medidas extremas, desde que apresente uma declaração da sua autoria que seja considerada satisfatória do nosso e do seu ponto de vista.

– Manas, já falámos sobre isso. Eu...

– Um momento. Escute-me até ao fim. Tenho aqui um rascunho que será do interesse de ambos. É bastante pequeno. Posso lê-lo?

– Pode.

Mathabane lê: «Confirmo sem qualquer reserva graves abusos dos direitos humanos da queixosa, assim como abuso da autoridade delegada na minha pessoa pela Universidade. Peço sinceras desculpas a ambas as partes e aceito a pena adequada que me seja imposta.»

– «A pena adequada que me seja imposta»: o que significa isso?

– Na minha opinião, significa que não será despedido. O mais provável é que lhe solicitem que se ausente por tempo indeterminado. Se voltará ou não a ensinar dependerá de si, da decisão do Decano e do director do departamento.

– Então é isso? É isso que têm para me oferecer?

– É a minha opinião. Se aceitar subscrever esta declaração, a qual terá o estatuto de alegação em mitigação, o Reitor estará disposto a aceitá-la dentro desse espírito.

– Dentro de que espírito?

– De um espírito de arrependimento.

– Manas, já falámos disso do arrependimento ontem. Já lhe disse o que penso. Não vou fazer isso. Compareci perante um tribunal constituído legalmente, perante um ramo da lei. Considerei-me culpado perante esse tribunal secular, através de uma alegação secular. Essa alegação deveria ser o suficiente. O arrependimento não é para aqui chamado. O arrependimento pertence a um outro mundo, a um outro universo de discurso.

– Está a confundir as coisas, David. Não estão a dar-lhe instruções para se arrepender. O que vai na sua alma é obscuro para nós, como membros daquilo a que chama tribunal secular, e até como seres humanos. Só lhe pedimos que faça uma declaração.

– Pedem-me que redija um pedido de desculpas acerca do qual posso não estar a ser sincero?

– A questão não é se está a ser sincero. Isso é um assunto para a sua consciência. A questão é se está preparado para reconhecer a sua culpa em público e fazer diligências no sentido de a remediar.

– Agora é que estamos mesmo a perder-nos em pormenores. Fui acusado e considerei-me culpado de ambas as acusações. É tudo o que precisam de mim.

– Não. Queremos mais. Não muito mais, mas mais. Espero que consiga compreender isso, e fazê-lo.

– Lamento, mas não posso.

– David, não posso protegê-lo de si mesmo. Já estou farto disto, assim como toda a comissão. Quer mais algum tempo para pensar melhor?

– Não.

– Muito bem. Então, só me resta dizer que receberá notícias do Reitor.

7

Uma vez que decidiu partir, não há muito que o detenha. Esvazia o frigorífico, fecha a casa e, ao meio-dia, está na auto-estrada. Após uma paragem em Oudtshoorn, arranca ao romper da aurora: a meio da manhã aproxima-se do destino, a cidade de Salem, na estrada de Grahamstown-Kenton, em Eastern Cape.

O pequeno negócio da filha situa-se ao fundo de um caminho de terra batida cheio de curvas e contracurvas a algumas milhas da cidade: cinco hectares de terra, uma bomba eólica, estábulos, anexos e uma casa rústica térrea e ampla pintada de amarelo, com um telhado de ferro galvanizado e uma varanda coberta. A parte da frente da propriedade está demarcada por uma cerca de arame e moitas de capuchinhas e gerânios; o restante da parte da frente é poeira e gravilha.

Uma carrinha *Wolkswagen* velha está parada na via de acesso; estaciona atrás dela. Lucy emerge da sombra da varanda. Por um momento, não a reconhece. Já passou um ano e ela engordou. As ancas e os seios são agora (ele procura a palavra mais adequada) amplos. Confortavelmente descalça, aproxima-se para o cumprimentar, de braços abertos, abraçando-o e beijando-o na face.

Que rapariga maravilhosa, pensa ele, enquanto a abraça; que bela recepção depois de uma viagem tão longa!

A casa, enorme e sombria, mesmo ao meio-dia, e também gelada, data do tempo das famílias numerosas, do tempo em que os convidados chegavam às carradas. Há seis anos atrás, Lucy mudou-se para aqui como membro de uma comunidade, como membro de uma tribo de jovens que vendiam artefactos de couro, coziam peças de artesanato ao sol em Grahamstown e cultivavam marijuana entre as espigas de milho. Quando a comunidade se separou e o resto das pessoas se mudaram para New Bethesda, Lucy ficou na quinta com Helen, a amiga. Apaixonara-se por aquele local, dissera ela; desejava cultivá-lo convenientemente. Ele ajudou-a a comprá-lo. Agora, aqui está ela, com um vestido às flores, pés descalços e tudo, numa casa repleta do odor de pão a cozer, não mais uma criança, a brincar aos agricultores, mas uma robusta mulher do campo, uma *boervrou*.

– Vou arranjar-te o quarto da Helen – diz ela. – Apanha o sol da manhã. Nem fazes ideia de como as manhãs têm sido frias este Inverno.

– Como está a Helen? – pergunta ele. Helen é uma mulher enorme de olhar triste, voz profunda e pele feia, mais velha do que Lucy. Nunca conseguiu compreender o que Lucy vê nela; no seu íntimo, deseja que Lucy encontre, ou seja encontrada, por alguém melhor.

– Helen está em Joanesburgo desde Abril. Tenho estado sozinha, excepto os ajudantes.

– Não me tinhas dito nada. Não ficas nervosa, aqui sozinha?

Lucy encolhe os ombros. – Tenho os cães. Os cães sempre são alguma coisa. Quanto mais cães, mais eles se coíbem. Seja como for, se houvesse um assalto, não vejo como duas pessoas seriam melhor do que uma.

– Isso é muito filosófico.

– Pois é. Quando tudo o resto falha, resta-nos filosofar.

– Mas tens uma arma.

– Tenho uma espingarda. Vou mostrar-ta. Comprei-a a um vizinho. Nunca a utilizei, mas tenho-a aí.

– Óptimo. Uma filósofa armada. Aprovado.

Cães e uma arma; pão no forno e uma colheita na terra. É curioso que ele e a mãe dela, pessoas da cidade, intelectuais, tenham gerado esta jovem colona, robusta e virada para a terra. Mas talvez não tenham sido eles a gerá-la: talvez a história tenha nisso a maior quota-parte.

Ela oferece-lhe chá. Ele tem fome: devora duas fatias de pão que mais parecem dois blocos barrados com opúncia, também de fabrico caseiro. Apercebe-se de que a filha o observa enquanto come. Tem de ter cuidado: não há nada mais repugnante para uma filha do que o funcionamento do corpo dos pais.

As unhas dela não estão nada limpas. Sujidade do campo: louvável, acha ele.

Desfaz a mala no quarto de Helen. As gavetas encontram-se vazias; no enorme guarda-roupa está pendurado apenas um sobretudo azul. Se Helen está ausente, não será por pouco tempo.

Lucy leva-o a conhecer as instalações. Relembra-lhe para não desperdiçar água, para não contaminar a fossa séptica. Ele já conhece a lição, mas escuta-a com atenção. Depois mostra-lhe os canis. Na sua última visita havia apenas um. Agora há cinco, solidamente construídos, com alicerces de cimento, estacas e escoras galvanizadas e rede grossa, cobertos por jovens árvores da família dos eucaliptos. Os cães ficam excitados ao vê-la: dobermanns, pastores-alemães, ridgebacks, bull terriers, rottweilers. – Cães de guarda, todos eles – diz ela. – Cães de trabalho, com contratos curtos: duas semanas, uma semana, às vezes apenas um fim-de-semana. Os cães de estimação costumam vir mais durante as férias de Verão.

– E gatos? Não tens gatos?

– Não te rias. Estou a pensar em alargar a minha actividade aos gatos. Só que ainda não estou preparada.

– Ainda tens a banca no mercado?

– Tenho, aos sábados de manhã. Levo-te lá comigo.

É assim que ela ganha a vida: com os canis e com a venda de flores e produtos hortícolas. Nada poderia ser mais simples.

– Os cães não se aborrecem? – aponta para um, uma cadela buldogue acastanhada que se encontra sozinha numa jaula, cabeça pousada nas patas, observando-os morosamente, sem se dar sequer ao trabalho de se levantar.

– A *Katy?* Foi abandonada. Os donos piraram-se. Não pagam a conta há meses. Não sei o que hei-de fazer com ela. Vou tentar arranjar-lhe uma casa, acho eu. Está amuada, de resto está boa. É levada todos os dias a passear. Por mim ou pelo Petrus. Faz parte do acordo.

– O Petrus?

– Vais conhecê-lo. O Petrus é o meu novo colaborador. Na verdade, desde Março que é co-proprietário. Um tipo impecável.

Passam juntos pelo dique de paredes enlameadas, onde uma família de patos acosta serenamente, passam pelas colmeias e pelo jardim: canteiros de flores e legumes de Inverno – couves-flor, batatas, beterrabas, acelgas, cebolas. Visitam a bomba e o dique de armazenamento no extremo da propriedade. As chuvas têm sido boas nos últimos dois anos, o leito da água subiu.

Fala com facilidade acerca destes assuntos. Uma agricultora da nova geração. Nos bons velhos tempos, gado e milho. Hoje em dia, cães e narcisos-dos-prados. Quanto mais as coisas mudam mais permanecem iguais. A história repete-se, embora de uma forma mais modesta. Talvez a história tenha aprendido a lição.

Regressam ao longo do rego de irrigação. Os pés descalços de Lucy agarram a terra vermelha, deixando pegadas bem definidas. É uma mulher sólida, empenhada na sua nova vida. Óptimo! Se for isto que ele vai deixar de si – esta filha, esta mulher – não tem qualquer razão para ter vergonha.

– Não é preciso dares-me muita atenção – diz ele quando regressam a casa. – Trouxe os meus livros. Só preciso de uma mesa e de uma cadeira.

– Estás a trabalhar em algo em particular? – pergunta ela cautelosamente. Não é muito usual falarem acerca do seu trabalho.

– Tenho planos. Algo sobre os últimos dias de Byron. Não é um livro, ou pelo menos não é um livro como os que escrevi no passado. Será antes algo para os palcos. Letras e música. Personagens a falar e a cantar.

– Não sabia que ainda tinhas ambições desse género.

– Pensei fazer a vontade a mim mesmo. Mas não é assim tão fácil. Uma pessoa quer deixar ficar alguma coisa. Ou, pelo menos, um homem quer deixar ficar alguma coisa. É mais fácil para uma mulher.

– Por que é mais fácil para uma mulher?

– Quero dizer que é mais fácil produzir algo com vida própria.

– E ser pai não conta?

– Ser pai... não consigo deixar de pensar que, em comparação com ser mãe, ser pai é uma coisa bastante abstracta. Mas esperemos para ver o que acontece. Se acontecer alguma coisa, serás a primeira a saber. A primeira e provavelmente a última.

– Vais ser tu a escrever a música?

– A maior parte da música vou pedi-la emprestada. Não tenho qualquer problema em pedir emprestado. No início, pensei que era uma coisa que necessitaria de uma orquestração bastante luxuriante. Como Strauss, digamos. O que estaria para lá das minhas capacidades. Neste momento, estou mais inclinado para a direcção oposta, para um acompanhamento menos rico: violino, violoncelo, oboé e talvez fagote. Mas, de momento, são apenas ideias. Ainda não escrevi uma única nota, tenho andado ocupado. Estou certo de que ouviste algo acerca dos meus problemas.

– A Roz disse-me qualquer coisa ao telefone.

– Bom, não vamos falar sobre isso agora. Fica para outra vez.

– Deixaste a universidade para sempre?

– Demiti-me. Pediram-me que me demitisse.

– Vais sentir saudades?

– Se vou sentir saudades? Não sei. Eu não era grande coisa como professor. Percebi que, a cada momento que passava, conseguia comunicar menos com os meus alunos. Não escutavam o que eu tinha para dizer. Por isso, se calhar não vou ter saudades. Talvez venha a gostar de me vir embora.

Está um homem à entrada da porta, um homem alto de macacão azul, galochas e um gorro de lã. – Petrus, entra, vem conhecer o meu pai – diz Lucy.

Petrus limpa os pés. Apertam as mãos. Um rosto desgastado e vincado; olhos perspicazes. Quarenta? Quarenta e cinco anos?

Petrus dirige-se a Lucy. – O pulverizador – diz ele. – Venho buscar o pulverizador.

– Está no carro. Espera aqui, vou buscá-lo.

Fica a sós com Petrus. – É o senhor que cuida dos cães? – diz ele, de forma a quebrar o silêncio.

– Cuido dos cães e trabalho no jardim. Sim. – Petrus abre um sorriso largo. – Sou o jardineiro e o tratador dos cães. – Pensa durante um momento. – O tratador dos cães – repete, saboreando a frase.

– Acabei de chegar da Cidade do Cabo. Às vezes fico preocupado com a minha filha, aqui sozinha. Isto fica muito isolado.

– Sim – responde Petrus –, é perigoso. – Faz uma pausa. – Hoje em dia tudo é perigoso. Mas aqui não há problema, acho eu. – E abre outro sorriso.

Lucy regressa com uma pequena garrafa. – Sabes as quantidades: uma colher de chá por cada dez litros de água.

– Sim, eu sei. – E Petrus baixa a cabeça para conseguir passar pela porta.

– Petrus parece ser um bom homem – diz ele.

– Tem a cabeça bem assente sobre os ombros.

– Vive cá na propriedade?

– Vive com a mulher no estábulo velho. Instalei lá electricidade. É bastante confortável. Ele tem outra mulher em Adelaide. E filhos, alguns deles já crescidos. Passa lá algum tempo, de vez em quando.

Deixa Lucy a executar as suas tarefas e vai dar um passeio até à estrada de Kenton. Está um dia frio de Inverno e o Sol mergulha já por detrás das colinas avermelhadas salpicadas de relva esbranquiçada. Terra pobre, solo pobre, pensa ele. Exausta. Boa só para os bodes. Será que Lucy pretende mesmo passar aqui o resto da vida? Espera que seja apenas uma fase.

Passa por ele um grupo de crianças que voltam da escola. Cumprimenta-as; cumprimentam-no também. À moda do campo. A Cidade do Cabo está a retroceder para o passado.

Sem nada o fazer prever, a recordação da rapariga regressa: os seios pequenos e bem delineados com os mamilos erectos, a barriga macia e plana. Atravessa-o um frémito de desejo. É evidente que, fosse o que fosse, ainda não acabou.

Regressa a casa e acaba de desfazer a mala. Há já muito tempo que não vive com uma mulher. Terá de se portar bem; terá de ser organizado.

Ampla é uma palavra simpática de mais para Lucy. Em breve será mesmo gorda. Desleixou-se, é o que acontece quando uma pessoa se retira do campo do amor. *Qu'est devenu ce front poli, ces cheveux blonds, sourcils voûtés?*

O jantar é simples: sopa, pão e depois batatas-doces. Geralmente não gosta de batatas-doces, mas Lucy faz um prato com casca de limão, manteiga e pimenta-da-jamaica que as torna saborosas, mais até do que saborosas.

– Ficas cá algum tempo? – pergunta ela.

– Uma semana? Podemos pensar numa semana? Conseguirás aturar-me assim tanto tempo?

– Podes cá ficar o tempo que quiseres. Só receio que te aborreças.

– Não me aborreço.

– E passada essa semana, para onde vais?

– Ainda não sei. Talvez ande por aí a vaguear, a vaguear muito.

– Bom, sabes que és bem-vindo se quiseres ficar.

– É muito simpático da tua parte, querida, mas eu gostava que continuássemos amigos. Longas visitas não são boas para as amizades.

– E se não lhe chamarmos visita? Se lhe chamarmos refúgio? Aceitarias um refúgio sem termo certo?

– Queres dizer asilo? Não é tão grave quanto isso, Lucy. Não sou um fugitivo.

– A Roz disse-me que o ambiente não era dos melhores.

– Fui eu que quis assim. Ofereceram-me um compromisso que eu não pude aceitar.

– Que tipo de compromisso?

– Reeducação. Reformulação do carácter. A palavra-chave era *aconselhamento.*

– E és assim tão perfeito que não te possas submeter a um pouco de aconselhamento?

– Faz-me lembrar a China de Mao. Retractação, autocrítica, pedidos de desculpa em público. Sou antiquado, preferia que me encostassem a uma parede e me fuzilassem. Ficava mais satisfeito.

– Fuzilado? Por teres um caso com uma aluna? É um pouco extremista, não achas, David? Deve estar sempre a acontecer. Podes crer que aconteceu quando eu andava a estudar. Se todos os casos fossem julgados, a profissão era dizimada.

Ele encolhe os ombros. – Vivemos numa época puritana. A vida particular é assunto público. A lascívia é respeitável, a lascívia e o sentimento. Eles queriam espectáculo: que eu batesse no peito, que mostrasse remorsos, lágrimas se possível. Na verdade, um programa de televisão. Não lhes fiz a vontade.

Ia acrescentar: «A verdade é que queriam castrar-me», mas não pode dizer essas palavras, não à frente da filha. Na verdade, agora que se põe no lugar de outra pessoa, a tirada parece-lhe melodramática, excessiva.

– Quer dizer que ficaste na tua e eles na deles. Foi isso?

– Mais ou menos.

– Não devias ser assim tão inflexível, David. Não é nada heróico ser-se inflexível. Ainda estás a tempo de voltar com a palavra atrás?

– Não, a sentença é definitiva.

– Não podes apelar?

– Não. Também não me posso queixar. Uma pessoa não pode considerar-se culpada de depravação e esperar um dilúvio de simpatia. Pelo menos a partir de certa idade. A partir de certa idade uma pessoa deixa pura e simplesmente de ser apelativa e é tudo. Só nos resta cerrar os dentes e viver o resto da vida. Cumprir a pena.

– Bom, é uma pena. Podes cá ficar o tempo que quiseres. Sejam quais forem as condições.

Deita-se cedo. A meio da noite é acordado por uma rajada de latidos. Um cão em particular ladra insistentemente, mecanicamente, sem parar; os outros juntam-se-lhe, ele cala-se e, depois, relutante em admitir a derrota, junta-se-lhes também.

– Isto é assim todas as noites? – pergunta ele a Lucy na manhã seguinte.

– Uma pessoa acaba por se habituar. Lamento.

Ele abana a cabeça.

8

Tinha-se esquecido de como as manhãs de Inverno podem ser frias nas terras altas do Eastern Cape. Não trouxe roupas adequadas: Lucy tem de lhe emprestar uma camisola.

De mãos nos bolsos, vagueia por entre os canteiros. Fora do alcance da vista, um carro passa na estrada de Kenton, permanecendo o ruído no ar estagnado. Gansos voam em formação lá no alto. O que poderá fazer para passar o tempo?

– Queres ir dar um passeio? – pergunta Lucy, surgindo por trás dele.

Levam com eles três cães: dois jovens dobermanns, que Lucy leva pela trela, e a cadela abandonada.

Com as orelhas para trás, a cadela tenta defecar. Não sai nada.

– Ela está com problemas – diz Lucy. – Tenho de a medicar.

A cadela continua a esforçar-se, com a língua de fora, olhando em redor, como se envergonhada por estarem a vê-la.

Saem da estrada, caminham por entre moitas, depois por uma floresta de pinheiros dispersos.

– A rapariga com quem tiveste o caso – pergunta Lucy – foi coisa séria?

– A Rosalind não te contou?

– Não contou pormenores.

– Ela é destas bandas. É de George. Frequentava uma das minhas aulas. Uma aluna mediana, mas muito atraente. Se foi coisa séria? Não sei. Mas teve consequências bem sérias.

– Mas já acabou? Ou ainda suspiras por ela?

Se já acabou? Se ele ainda suspira por ela? – Nunca mais nos vimos – explicou.

– Por que te denunciou?

– Não me disse; não tive oportunidade de perguntar. Ela encontrava-se numa posição difícil. Foi por causa de um jovem, um amante ou ex-amante, que a intimidava. Foi por causa das pressões do resto da turma. E quando os pais descobriram foram à Cidade do Cabo. Penso que a pressionaram de mais.

– E foi por tua causa.

– Pois, foi por minha causa. Acho que não fui uma pessoa fácil.

Chegaram a um portão com uma tabuleta que diz: «Indústrias SAPPI – Transgressores serão Processados». Regressam.

– Bom – diz Lucy – já pagaste a dívida. Talvez ela não te recrimine assim tanto, ao rever o passado. As mulheres podem ser surpreendentemente clementes.

Ficam em silêncio. Estará Lucy, a sua filha, a atrever-se a falar-lhe acerca das mulheres?

– Já pensaste em casar outra vez? – pergunta Lucy.

– Queres dizer, casar com alguém da minha geração? Eu não fui feito para casar, Lucy. Tu bem viste.

– Sim. Mas...

– Mas o quê? Mas é impróprio andar a atirar-me a crianças?

– Não foi isso que eu quis dizer. Só que vais achar que é cada vez mais difícil, e não mais fácil, à medida que o tempo passa.

Nunca tinham falado antes acerca da sua vida íntima. E não está a ser fácil. Mas, se não for com ela, com quem pode ele falar?

– Lembras-te de Blake? – pergunta-lhe. – «Antes matar um bebé no berço do que obedecer a desejos não consumados»?

– Porquê essa citação?

– Os desejos não consumados podem ser tão horríveis nos velhos como nos jovens.

– E então?

– Todas as mulheres com quem estive ensinaram-me algo acerca de mim mesmo. Nessa medida, fizeram de mim uma pessoa melhor.

– Espero que não estejas a tentar afirmar também o contrário. Que, ao conhecerem-te, também se tornaram pessoas melhores.

Ele lança-lhe um olhar ríspido. Ela sorri. – Estava só a brincar – diz ela.

Regressam pela estrada de alcatrão. Na curva para a propriedade, existe uma tabuleta pintada em que ele não tinha reparado: «FLORES. CICÁDIAS», e uma seta: «1 KM».

– Cicádias? – exclama. Pensei que as cicádias fossem ilegais.

– É ilegal apanhá-las no estado selvagem. Eu cultivo-as. Vou mostrar-te.

Continuam a caminhar. Os cães dão puxões na tentativa de se libertarem; a cadela segue atrás, arfando.

– E tu? É isto o que pretendes da vida? – Com uma mão, aponta para o jardim e para a casa com a luz do Sol a cintilar no telhado.

– Serve – responde Lucy calmamente.

É sábado, dia de mercado. Lucy acorda-o às cinco horas, como estava combinado, trazendo-lhe uma chávena de café. Protegidos contra o frio, juntam-se a Petrus no jardim onde, à luz de um candeeiro de halogéneo, ele já se encontra a apanhar flores.

Oferece-se para ajudar Petrus, mas depressa fica com os dedos tão enregelados que não consegue continuar a atar os molhos. Devolve o cordel a Petrus e encarrega-se da execução dos embrulhos e dos fardos.

Às sete horas, quando a aurora começa a roçar as colinas e os cães a ficar agitados, o trabalho está pronto. A carrinha está carregada com caixas de flores, sacas de batatas, cebolas e couves. Lucy vai ao volante, e Petrus atrás. O aquecimento não funciona; espreitando pelo pára-brisas coberto de orvalho, ela mete pela estrada de Grahamstown. Ele segue a seu lado e vai comendo as sanduíches que a filha preparou. Tem o nariz a pingar; espera que ela não repare.

Portanto: uma nova aventura. A sua própria filha, que em tempos levava à escola e às aulas de *ballet,* ao circo e ao ringue de patinagem, está agora a levá-lo a ele numa excursão, mostrando-lhe a vida, mostrando-lhe este outro mundo desconhecido.

Em Donkin Square, os proprietários das bancas estão já a instalar cavaletes e a expor os seus produtos. Cheira a carne queimada. Uma neblina fria paira sobre a cidade; as pessoas esfregam as mãos, batem os pés no chão, rogam pragas ao tempo. Existe nestas pessoas alguma simplicidade de carácter que, para seu alívio, Lucy não partilha.

Encontram-se naquilo que parece ser a área dos produtos hortícolas. À sua esquerda encontram-se três mulheres africanas com leite, *masa* e manteiga para vender; além disso, num balde com um pano molhado por cima, ossos para a sopa. À sua direita encontra-se um casal de *afrikaners* idosos a quem Lucy chama Tante Miems e Oom Koos, mais uma pequena ajudante que não pode ter mais de dez anos com um gorro que lhe tapa completamente a cabeça. Tal como Lucy, têm batatas e cebolas para vender, mas também compotas, conservas, frutos secos, sacos de chá de *buchu, honeybush* e outras ervas medicinais.

Lucy trouxe dois banquinhos de lona. Bebem café de uma garrafa térmica, enquanto esperam pelos primeiros clientes.

Ainda há duas semanas ele estava numa sala de aula a explicar à juventude entediada do país a diferença entre *matado* e *morto,* significando um uma acção praticada e o outro uma acção sofrida. Como isso lhe parece longínquo! Eu tinha matado, eu fui morto.

As batatas de Lucy, despejadas para um cesto de um alqueire, estão lavadas. As de Koos e Miem ainda estão sujas de terra. Durante a manhã Lucy faz quase quinhentos rands. As suas flores vendem-se bem; às onze horas baixa o preço e vende as últimas. A banca do leite e da carne também vende bastante; mas o casal de idosos, sentados lado a lado, inexpressivos, sem um sorriso, fazem menos negócio.

Muitos dos clientes de Lucy tratam-na pelo nome: mulheres de meia-idade, na sua maioria, dando-se ares de proprietárias na sua atitude para com ela, como que se o seu êxito também lhes pertencesse. Apresenta-o sempre: – Este é o meu pai, David Lurie, que veio da Cidade do Cabo, de visita.

– Deve ter muito orgulho na sua filha, Mr. Lurie – dizem.

– Sim, muito orgulho – responde.

– A Bev trata do refúgio dos animais – diz Lucy, depois de o apresentar a uma delas. – Às vezes ajudo-a. Vamos passar por casa dela no regresso, se não te importares.

Bev Shaw não lhe agradou; mulher pequena e atarracada, de ar azafamado e com sardas negras, cabelo curto e espetado e quase sem pescoço. Não gosta de mulheres que não se esforçam por terem boa aparência. Trata-se de uma embirração que já antes sentiu com as amigas de Lucy. Nada de que se possa orgulhar: um preconceito que se instalou na sua mente. A sua mente transformou-se num refúgio para pensamentos antigos, frívolos, indigentes, sem outro sítio para onde ir. Deveria expulsá-los, fazer uma lavagem ao cérebro. Mas isso não o preocupa a ponto de o fazer.

A Liga dos Amigos dos Animais, outrora uma instituição de caridade activa em Grahamstown, teve de encerrar as suas actividades. Contudo, alguns voluntários liderados por Bev Shaw, continuam a gerir a clínica nas antigas instalações.

Ele nada tem contra os defensores dos animais com quem Lucy desde sempre se relacionou. Sem dúvida que o mundo seria um local bem pior se eles não existissem. Assim, quando Bev Shaw abre a porta, ele faz uma cara amável, embora na verdade se sinta repugnado com os odores a urina de gato, sarna canina e Jeyes Fluid que lhe dão as boas-vindas.

A casa é tal e qual como ele imaginou que seria: mobília sem valor, uma barafunda de ornamentos (pastoras de porcelana, cincerros, um enxota-moscas de penas de avestruz), o ruído contínuo de um rádio, o chilrear de pássaros em gaiolas, gatos por todo o lado. Bev Shaw não está sozinha, há também um tal Bill Shaw, também ele atarracado, a beber chá sentado à mesa da cozinha, cara vermelhusca, cabelo grisalho e uma camisola com a gola às três pancadas. – Sente-se, sente-se, Dave – diz Bill. – Beba uma chávena de chá. Esteja à vontade.

Foi uma longa manhã, está cansado, a última coisa que lhe apetece é fazer conversa com esta gente. Lança um olhar de soslaio a Lucy. – Não podemos ficar, Bill – diz ela. – Vim apenas buscar uns remédios.

Consegue ver o pátio das traseiras dos Shaw através de uma janela: uma macieira deixando cair frutos bichados, trepadeiras, uma área cercada por rede de ferro galvanizado, estrados de madeira, pneus velhos onde galinhas andam a esgravatar e aquilo que se parece estranhamente com um pequeno antílope, dormitando a um canto.

– O que achas? – pergunta Lucy quando já iam no carro.

– Não quero ser malcriado. Trata-se de uma subcultura própria, tenho a certeza. Eles não têm filhos?

– Não, não têm filhos. Não subestimes a Bev. Ela não é nenhuma idiota. Está farta de praticar o bem. Há anos que vai à *D Village,* primeiro em representação da Liga dos Amigos dos Animais e agora por conta própria.

– Deve ser uma guerra perdida.

– Sim, pois é. Já não há fundos. Os animais não fazem parte da lista das prioridades da nação.

– Ela deve ficar desesperada. E tu também.

– Sim. Não. O que é que isso interessa? Os animais que ela ajuda não ficam desesperados. Ficam extremamente aliviados.

– Então é maravilhoso. Desculpa, minha filha, mas para mim é difícil interessar-me por esse assunto. É admirável... aquilo que fazes, aquilo que ela faz... mas para mim, as pessoas que defendem os animais são um pouco como certo tipo de cristãos. Andam todos tão alegres e cheios de boas intenções que, passado algum tempo, até apetece andar por aí a violar e a roubar. Ou aos pontapés aos gatos.

Surpreende-se com esta explosão. Não está maldisposto.

– Tu achas que eu devia fazer coisas mais importantes – diz Lucy. Seguem pela estrada fora; ela conduz sem olhar para ele. – Pensas que, uma vez que sou tua filha, deveria fazer algo melhor da minha vida.

Ele já está a abanar a cabeça. – Não... não... não – murmura.

– Pensas que eu deveria andar a pintar folhas mortas ou a aprender russo. Não aprovas amizades como a Bev e o Bill Shaw, porque eles não me podem proporcionar uma vida melhor.

– Isso não é verdade, Lucy.

– Mas é verdade, sim. Não me vão proporcionar uma vida melhor e isso porque não existe uma vida melhor. Esta é a única vida que existe. A qual partilhamos com os animais. É o exemplo que pessoas como Bev tentam dar. É o exemplo que eu tento seguir. Partilhar algum do nosso privilégio de sermos humanos com os animais. Não quero regressar noutra vida como cão ou porco e ter de viver como os cães e os porcos vivem com os humanos.

– Lucy, minha querida, não fiques zangada. Sim, eu concordo, esta é a única vida que existe. Quanto aos animais, sem dúvida que devemos ser bons para eles. Mas não podemos perder a perspectiva. Nós somos de um tipo de criação diferente da dos animais. Não necessariamente melhores, apenas diferentes. Por isso, se vamos ser bons, que o sejamos por simples generosidade, não por nos sentirmos culpados ou com medo da retribuição.

Lucy suspira. Parece prestes a responder ao sermão, mas não o faz. Chegam a casa em silêncio.

9

Está sentado na sala da frente a ver um jogo de futebol na televisão. O resultado é zero-zero; nenhuma das equipas parece interessada em ganhar.

O comentário é feito em sotho e xhosa, línguas das quais não percebe uma só palavra. Põe o volume quase no mínimo. Sábado à tarde na África do Sul: uma altura dedicada aos homens e aos seus prazeres. Adormece.

Quando acorda, Petrus está a seu lado no sofá com uma garrafa de cerveja na mão. Pôs o volume mais alto.

– Bushbucks – diz Petrus. – A minha equipa. O Bushbucks contra o Sundowns.

É canto para o Sundowns. Segue-se grande confusão à boca da baliza. Petrus solta um rugido e leva as mãos à cabeça. Quando a poeira assenta, o guarda-redes do Bushbucks está deitado no chão com a bola debaixo do peito.

– Ele é bom! Ele é bom! – diz Petrus. – É bom guarda-redes. Têm de ficar com ele.

O jogo termina com um empate a zero golos. Petrus muda de canal. Boxe: dois homens pequeninos, tão pequeninos que quase não chegam ao peito do árbitro, andam aos círculos, aos saltos, espancam-se mutuamente.

Levanta-se, vagueia pelas traseiras da casa. Lucy está deitada na cama a ler. – O que estás a ler? – pergunta ele. Ela olha-o com ar trocista e, depois, tira os auscultadores dos ouvidos. – O que estás a ler? – repete; e depois – Isto não está a resultar, pois não? Queres que me vá embora?

Ela sorri, pousa o livro. *O mistério de Edwin Drood:* não era isto que ele esperava. – Senta-te – diz ela.

Ele senta-se na cama e, indolentemente, acaricia-lhe um pé descalço. Um bom pé, bem delineado. Bons ossos, como a mãe. Uma mulher na flor da idade, atraente apesar da gordura, apesar das roupas pouco atraentes.

– Na minha perspectiva, David, está a resultar até muito bem. Estou feliz por estares cá. É preciso algum tempo para te habituares ao ritmo da vida no campo, é tudo. Assim que encontrares coisas para fazer, não te aborrecerás tanto.

Ele acena com a cabeça, pensativo. Atraente, está a pensar, contudo perdida para os homens. Deverá recriminar--se, ou seria este o seu destino, de qualquer das formas? Desde o dia em que nasceu que sente por ela o mais espontâneo e generoso amor. É impossível que ela não se tenha apercebido. Terá sido demasiado, esse amor? Tê-lo-á ela considerado um fardo? Tê-la-á pressionado? Ter-lhe-á dado uma interpretação mais obscura?

Pensa no que sentirá Lucy com os seus amantes, no que sentirão com ela os seus amantes. Nunca receou seguir um pensamento pelos seus caminhos mais sinuosos e agora também não. Terá ele criado uma mulher de paixões? O que poderá ela sentir, ou não, no domínio dos sentidos? Serão ambos capazes de falar também acerca disso? Lucy não teve uma vida muito protegida. Por que não deveriam abrir-se um com o outro, por que deveriam traçar limites numa época em que ninguém o faz?

– Até encontrar coisas para fazer – diz ele, abandonando os seus devaneios. – O que sugeres?

– Podias ajudar a tratar dos cães. Podias cortar a carne para os cães. Sempre achei uma tarefa difícil. E depois há o Petrus. O Petrus anda ocupadíssimo a delimitar as suas próprias terras. Podias dar-lhe uma mão.

– Dar uma mão ao Petrus. Agrada-me. Agrada-me a provocação histórica. Achas que ele poderá pagar-me um ordenado pelo meu trabalho?

– Pergunta-lhe. Estou certa que sim. Recebeu um subsídio para Aquisição de Terras no início do ano, o suficiente para comprar um hectare e mais alguma terra da minha. Eu não te disse? A fronteira passa pelo dique. Partilhamos o dique. Desde aí até à cerca é tudo dele. Ele tem uma vaca que vai parir na Primavera. Tem duas mulheres, ou uma mulher e uma namorada. Se fez as coisas como deve ser, pode vir a receber um segundo subsídio para construir uma casa; poderá então sair do estábulo. Pelos padrões de Eastern Cape, ele é um homem de recursos. Pede-lhe que te pague. Ele tem possibilidades de o fazer. Eu é que não sei se terei possibilidades de lhe pagar durante muito mais tempo.

– Está bem, eu trato da carne para os cães e ofereço-me para trabalhar para o Petrus. E que mais?

– Podes ajudar na clínica. Andam desesperados à procura de voluntários.

– Queres dizer, ajudar a Bev Shaw.

– Exactamente.

– Eu acho que não nos vamos dar muito bem.

– Não é preciso que te dês bem com ela. Só tens de a ajudar. Mas não esperes que te paguem. Terás de o fazer por bondade.

– Tenho as minhas dúvidas, Lucy. Isso soa-me a serviço comunitário. Parece-me alguém a tentar redimir-se de feitos anteriores.

– Posso assegurar-te, David, que os animais da clínica não vão querer saber dos teus motivos. Não vão fazer perguntas nem lhes interessa saber por que estás lá.

– Está bem, eu vou. Mas só se não tiver de me tornar numa pessoa melhor. Não estou preparado para me regenerar. Quero continuar a ser eu mesmo. Faço-o, mas só nessa condição. – Ainda tem a mão pousada no pé dela; agora agarra-lhe o tornozelo com força. – Compreendido?

Lucy lança-lhe aquilo que ele só pode apelidar de doce sorriso. – Então estás determinado a continuar a ser mau. Louco e mau, um perigo. Prometo que ninguém te vai pedir que mudes.

Ela mete-se com ele como a mãe costumava fazer. Contudo, a sua espirituosidade é mais pungente. Ele sempre se sentiu atraído por mulheres espirituosas. Espirituosas e bonitas. Com toda a boa vontade do mundo, não conseguiria encontrar espirituosidade em Melanie. Mas sim muita beleza.

Volta a acontecer: um leve tremor de voluptuosidade. Apercebe-se de que Lucy o observa. Parece que não consegue dissimulá-lo. Interessante.

Levanta-se, dirige-se para o pátio. Os cães mais jovens ficam encantados quando o vêem: andam para cá e para lá dentro das jaulas, ganindo de ansiedade. Mas a velha buldogue mal se mexe.

Entra na jaula e fecha a porta atrás dele. Ela ergue a cabeça, olha-o e deixa cair a cabeça novamente; tem as velhas tetas descaídas.

Ele baixa-se, coça-a atrás das orelhas. – Então foste abandonada? – murmura.

Deita-se ao lado dela no cimento despido. Por cima dele encontra-se o céu azul-claro. Relaxa os membros.

É assim que Lucy o encontra. Deve ter adormecido. Quando vem a si, ela está na jaula com a água e a cadela está de pé, cheirando-lhe os pés.

– A fazer amizades? – pergunta Lucy.

– Não é fácil fazer amizade com ela.

– Pobre *Katy*, está triste. Ninguém a quer e ela sabe-o. O que é irónico é que ela deve ter filhos espalhados por todo o distrito que ficariam felizes por partilhar os seus lares com ela. Mas não têm poder para a convidar. Fazem parte da mobília, parte do sistema de alarme. Eles dão-nos a honra de nos tratarem como deuses e nós respondemo--lhes tratando-os como coisas.

Saem da jaula. A cadela deita-se e fecha os olhos.

– As Autoridades da Igreja tiveram um longo debate acerca deles e decidiram que eles não têm almas propriamente ditas – explica. – As suas almas estão presas ao corpo e morrem com ele.

Lucy encolhe os ombros. – Não tenho a certeza de ter alma. E não reconheceria uma alma se a visse.

– Isso não é verdade. Tu és uma alma. Todos nós somos almas. Já somos almas antes de nascermos.

Ela olha-o de forma estranha.

– O que vais fazer com ela? – pergunta ele.

– Com a *Katy*? Fico com ela, se for preciso.

– Nunca abates animais?

– Não, nunca. A Bev fá-lo. Trata-se de uma tarefa que mais ninguém quer fazer, por isso ela encarregou-se disso. Mexe muito com ela. Tu subestima-la. É uma pessoa muito mais interessante do que imaginas. Mesmo pelos teus padrões.

Os seus padrões: quais são eles? As mulheres atarracadas de vozes horríveis merecem ser ignoradas? Uma nuvem de desgosto cai sobre ele: por *Katy*, sozinha na sua jaula, por ele próprio, por toda a gente. Suspira fundo, não ocultando o suspiro. – Perdoa-me, Lucy – diz ele.

– Perdoar-te? Porquê? – ela sorri levemente, em tom zombeteiro.

– Por ser um dos dois mortais destinados a introduzir-te no mundo e por não ser melhor guia. Mas eu vou ajudar a Bev Shaw. Desde que não tenha de a tratar por Bev. É um nome ridículo. Faz-me pensar em gado. Quando começo?

– Eu vou ligar-lhe.

10

A tabuleta à porta da clínica diz «LIGA DOS AMIGOS DOS ANIMAIS W.O. 1529.» Por baixo, uma frase indicando o horário de funcionamento, mas tapado com fita. À porta existe uma fila de pessoas à espera, algumas delas com animais. Assim que sai do carro é rodeado por crianças que lhe pedem dinheiro ou se limitam a olhá-lo. Atravessa a multidão e uma súbita cacofonia, quando dois cães, presos pelos donos, rosnam e se abocanham mutuamente.

A sala de espera, pequena e despida, está apinhada. Tem de passar por cima das pernas de uma pessoa para poder entrar.

– Alguém viu Mrs. Shaw? – pergunta.

Uma velhota indica com a cabeça uma entrada tapada com uma cortina de plástico. Uma mulher segura um bode com uma corda curta; este, olha em redor nervosamente, observando os cães e batendo com os cascos no chão duro.

Na sala interior, onde cheira muito a urina, Bev Shaw encontra-se a trabalhar numa mesa baixa com tampo de aço. Com uma caneta-lanterna, espreita para a garganta de um cachorro que parece o cruzamento entre um ridge-back e um chacal. Ajoelhada em cima da mesa, uma criança descalça, evidentemente dona do animal, segura a cabeça do cão debaixo do braço e tenta manter-lhe as mandíbulas abertas. Ouve-se um rosnar baixo e gorgolejante proveniente da garganta do animal; as poderosas patas traseiras dão puxões. Desajeitadamente, ele junta-se à contenda, prendendo as patas de trás do animal e obrigando-o a sentar-se nos quadris.

– Obrigada – diz Bev Shaw. Está ruborizada. – Tem aqui um abcesso devido a um dente encravado. Não temos antibióticos, por isso... – segura-o bem, *boytjie!* – por isso temos de o lancetar e esperar pelo melhor.

Ela enfia-lhe um bisturi na boca. O cão estremece violentamente, consegue libertar-se dele e quase consegue libertar-se do rapaz. Ele agarra-o enquanto tenta fugir de cima da mesa; por um momento os olhos do animal, cheios de raiva e medo, encontram-se com os seus.

– De lado, isso – diz Bev Shaw. Cantarolando em voz baixa, deita o cão de lado com destreza. – A correia – diz ela. Ele passa uma correia em torno do corpo do animal e ela aperta-a. – Isso – diz Bev Shaw. – Tenha pensamentos reconfortantes, tenha pensamentos positivos. Eles conseguem cheirar aquilo em que estamos a pensar.

Coloca todo o seu peso em cima do cão. Delicadamente, com uma mão embrulhada num pano velho, a criança volta a abrir as mandíbulas do animal. O cão revira os olhos, aterrorizado. Conseguem cheirar aquilo em que estamos a pensar: que disparate! – Pronto, pronto! – murmura ela. Bev Shaw introduz novamente o bisturi. O cão tem um vómito, fica tenso, depois relaxa.

– Pronto – diz ela. – Agora temos de deixar que a natureza siga o seu curso. – Desaperta o cinto, fala com a criança numa linguagem que parece xhosa, muito hesitante. O cão, de pé, encolhe-se debaixo da mesa. A superfície está salpicada de sangue e saliva; Bev limpa-a. A criança afaga o cão e sai da sala.

– Obrigada, Mr. Lurie. Tem uma boa presença. Sinto que gosta de animais.

– Se eu gosto de animais? Como-os, por isso acho que devo gostar deles, de algumas partes pelo menos.

O seu cabelo é uma massa de pequenos caracóis. Será que é ela que os faz, com rolos? É pouco provável: demoraria horas todos os dias. Devem crescer assim. Ele nunca antes vira tal emaranhado de tão perto. As veias das orelhas dela são visíveis qual filigrana vermelha e púrpura. As veias do nariz também. E depois um queixo que lhe sai do peito, como um pombo papo-de-vento. O efeito do conjunto é extraordinariamente pouco atraente.

Ela está a meditar sobre as suas palavras cuja ironia parece não ter percebido.

– Sim, comemos muitos animais neste país – diz ela. – Parece que não nos faz lá muito bem. Não sei bem como lhes vamos justificar isso. – Depois: – Vamos tratar do próximo?

Justificar? Quando? No Grande Ajuste de Contas? Ficou curioso e gostaria de ouvir mais, mas o momento não é propício.

O bode, um macho adulto, mal consegue andar. Metade do escroto, amarelo e púrpura, está inchado como um balão; a outra metade é uma massa de sangue e sujidade. Foi atacado por cães, explica a velha. Mas parece suficientemente esperto, animado, combativo. Enquanto Bev Shaw o examina, o bode larga um jacto de bolinhas no chão. A velha que o segura pelos cornos finge repreendê-lo.

Bev Shaw toca-lhe no escroto com uma bola de algodão. O bode dá um pinote. – Consegue segurar-lhe as patas? – pergunta ela, e explica-lhe como fazer. Ele amarra a pata direita de trás à pata direita da frente. O bode tenta dar outro pontapé, vacila. Ela passa o algodão suavemente pela ferida. O bode treme e solta um balido: um som horrível, baixo e roufenho.

À medida que a sujidade sai, ele repara que a ferida está cheia de vida, com larvas que abanam no ar as cabeças invisuais. Tem um estremecimento. – Varejeiras – diz Bev Shaw. – Têm pelo menos uma semana. – Franze os lábios. – Já o devia ter trazido há muito tempo – diz ela à mulher.

– Pois – diz a mulher por sua vez. – Os cães vêm todas as noites. É muito, muito mau. Paga-se quinhentos rands por um macho como ele.

Bev levanta-se. – Não sei o que poderemos fazer. Não tenho experiência suficiente para tentar uma remoção. Podemos esperar que o Dr. Oosthuizen venha na quinta-

-feira, mas o coitado fica estéril de qualquer forma. – E depois há a questão dos antibióticos. Estará ela preparada para gastar dinheiro nos antibióticos?

Volta a ajoelhar-se ao lado do bode, aconchega-lhe o pescoço afagando-o com o próprio cabelo. O bode estremece, mas mantém-se imóvel. Faz sinal à mulher para ela largar os cornos. A mulher obedece. O bode não se move.

Ela está a murmurar. – O que dizes, meu amigo? – consegue ouvi-la a dizer. – O que dizes? Já chega?

O bode mantém-se completamente imóvel, como se hipnotizado. Bev Shaw continua a afagá-lo com a cabeça. Parece ter entrado também ela em transe.

Recompõe-se e levanta-se. – Receio que já seja tarde – diz ela à mulher. – Não consigo curá-lo. Pode esperar que o doutor venha na quinta-feira, ou pode deixá-lo comigo. Posso proporcionar-lhe um fim sem sofrimento. Ele não se importa que eu lhe faça isso. Posso? Posso ficar cá com ele?

A mulher hesita, depois abana a cabeça. Começa a puxar o bode em direcção à porta.

– Depois pode ficar com ele – diz Bev Shaw. – Eu só vou ajudá-lo a ultrapassar isto, mais nada. – Embora ela tente controlar a voz, ele consegue sentir o timbre da derrota. O bode também: desata a saltar tentando libertar-se da correia, pinoteando e atirando-se para a frente, com o inchaço obsceno estremecendo atrás dele. A mulher desaperta a correia, atira-a para o lado. Depois vão embora.

– O que foi aquilo? – pergunta ele.

Bev Shaw esconde o rosto, assoa o nariz. – Não é nada. Eu tenho aí letal suficiente para os casos piores, mas não podemos obrigar os donos. O animal é deles, gostam de os chacinar, à sua maneira. É uma pena! Um animal tão simpático, tão corajoso, tão confiante!

Letal: será o nome de uma droga? Ele não iria além dos laboratórios farmacêuticos. Escuridão repentina, vinda das águas do Letes.

– Talvez ele compreenda mais do que possa imaginar – diz. Para surpresa sua, está a tentar reconfortá-la. – Talvez ele já tenha passado por isto. Nascido com presciência, por assim dizer. Afinal de contas, estamos em África. Tem havido bodes nesta terra desde o início dos tempos. Não é preciso explicar-lhes para que serve o ferro e o fogo. Sabem muito bem sob que forma a morte se apresenta a um bode. Já nascem preparados.

– Acha que sim? – diz ela. – Eu cá não tenho a certeza. Acho que nunca estamos preparados para morrer, nenhum de nós, pelo menos sem sermos escoltados.

As coisas começam a explicar-se. Compreende pela primeira vez a tarefa que esta mulher pequena e feia se propôs executar. Este edifício desolado não é um local de cura – os seus conhecimentos de medicina são demasiado básicos para isso – mas sim um último refúgio. Lembra-se da história de – quem era? Santo Huberto? – que deu refúgio a um veado que irrompeu pela sua capela dentro, tresloucado e ofegante, a fugir dos cães dos caçadores. Bev Shaw não é veterinária, mas sim sacerdotisa, cheia dos cerimoniais da Nova Era, tentando, de forma absurda, diminuir o fardo dos animais africanos em sofrimento. Lucy achou que ele a acharia uma pessoa interessante. Mas Lucy estava enganada. Interessante não é a palavra mais adequada.

Passa toda a tarde na enfermaria, ajudando naquilo que pode. Tratado o último caso, Bev Shaw mostra-lhe o pátio. Na gaiola das aves encontra-se apenas um pássaro, uma jovem águia-pesqueira com uma asa partida. Os restantes animais são cães: não como os cães de raça de Lucy, que estão bem tratados, mas sim uma multidão de rafeiros magricelas apinhados em duas jaulas, ladrando, latindo, ganindo e saltando com a excitação.

Ajuda-a a distribuir a ração e a encher as gamelas com água. Esvaziam dois sacos de dez quilos cada.

– Onde arranja dinheiro para comprar tudo isto? – pergunta ele.

– Compramos por grosso. Fazemos peditórios. Recebemos donativos. Oferecemos um serviço independente e recebemos um subsídio por isso.

– Quem faz o serviço independente?

– O Dr. Oosthuizen, o nosso veterinário. Mas ele vem apenas uma tarde por semana.

Ele observa os cães enquanto comem. Fica surpreendido por não haver grande disputa. Os pequenos e os mais fracos retraem-se, aceitando o seu quinhão, esperando a sua vez.

– O problema é que são muitos – diz Bev Shaw. – É claro que não compreendem e nós não temos como lhes explicar. São muitos segundo os nossos padrões, não os deles. Se pudessem, multiplicavam-se sem parar, até encherem toda a terra. Não acham que seja uma coisa má ter muitas crias. Quantos mais, melhor. Os gatos são a mesma coisa.

– E os ratos.

– E os ratos. Por falar nisso, quando chegar a casa, veja se tem pulgas.

Um dos cães, satisfeito com os olhos a brilhar de bem--estar, fareja-lhe os dedos através da rede, lambe-os.

– São muito democráticos, não são? – diz ele. – Não têm classes. Não há nenhum tão importante que os outros lhe cheirem o rabo. – Baixa-se, permite que o cão lhe cheire o rosto, lhe cheire o hálito. Tem aquilo a que ele chama um olhar inteligente, embora, provavelmente, não seja nada disso. – Vão todos morrer?

– Aqueles que ninguém quer. Vamos abatê-los.

– E é você que se encarrega disso.

– Sou.

– E não se importa?

– Se não me importo? Importo e muito. Não quereria que fosse outra pessoa a tratar do assunto se essa pessoa não se importasse. O senhor queria?

Ele está em silêncio. Depois: – Sabe por que foi que a minha filha me mandou vir ter consigo?

– Ela disse-me que estava metido em sarilhos.

– Não são meros sarilhos. Estou metido naquilo a que se pode chamar uma vergonha.

Ele observa-a com atenção. Parece pouco à vontade; mas talvez esteja a imaginar coisas.

– Depois de saber isso, ainda precisa de mim? – pergunta ele.

– Se estiver disposto... – Bev Shaw abre as mãos, junta-as, volta a abri-las. Não sabe o que dizer e ele não a ajuda.

Até agora, apenas tinha ficado com a filha durante curtos períodos de tempo. Neste momento, partilha com ela a sua casa, a sua vida. Tem de ter cuidado para não deixar velhos hábitos ressurgirem, os hábitos de um pai: colocar o rolo de papel higiénico no carretel, apagar as luzes, não deixar o gato deitar-se no sofá.

Treinar para a velhice, adverte-se a si mesmo. Treinar para se integrar. Treinar para o lar dos velhos.

Finge estar cansado e, após o jantar, retira-se para o seu quarto, onde chegam ténues os sons de Lucy tratando da sua vida: gavetas que se abrem e fecham, o rádio, o murmúrio de uma conversa telefónica. Estará a falar para Joanesburgo, estará a falar com Helen? Estará a sua presença a afastá-las uma da outra? Ousariam elas partilhar uma cama com ele em casa? Se a cama rangesse de noite, ficariam envergonhadas? Suficientemente envergonhadas para parar? Mas o que sabe ele acerca do que as mulheres fazem quando estão juntas? Talvez as mulheres não tenham de fazer a cama ranger. E o que sabe ele acerca destas duas em particular, Lucy e Helen? Talvez durmam juntas apenas como crianças, acariciando-se, tocando-se, soltando risadinhas, revivendo a juventude – antes irmãs do que amantes. Partilhando uma cama, partilhando uma banheira, fazendo bolachas de gengibre, vestindo as roupas uma da outra. Amor sáfico: uma desculpa para engordar.

A verdade é que não lhe agrada pensar na filha durante os espasmos da paixão com outra mulher, com uma mulher feita. Contudo, ficaria mais satisfeito se ela tivesse um amante masculino? Na realidade, o que pretende ele para Lucy? Não que ela permanecesse para sempre criança, para sempre inocente, para sempre sua – isso não, de certeza. Mas ele é pai, é esse o seu fado e, à medida que um pai envelhece – não pode evitá-lo –, aproxima-se cada vez mais da sua filha. Ela torna-se a sua segunda salvação, a noiva da sua juventude renascida. Não admira que, nos contos de fadas, as rainhas tentem perseguir as filhas até à morte!

Suspira. Pobre Lucy! Pobres filhas! Que destino, que fardo a carregar! E os filhos: também eles devem ter as suas atribulações, embora sobre isso ele não saiba tanto.

Gostava de poder adormecer. Mas está com frio e não tem sono nenhum.

Levanta-se, põe um casaco pelos ombros, regressa à cama. Está a ler as cartas de Byron de 1820. Obeso, com trinta e dois anos, Byron está a viver com os Guicciolis em Ravena: com Teresa, a sua amante complacente de pernas curtas, e com o seu melífluo e maldoso marido. Calor de Verão, chá ao anoitecer, bisbilhotices provincianas, bocejos não ocultados. «As mulheres sentam-se num círculo e os homens jogam o enfadonho Faro» escreve Byron. Em adultério, todo o tédio do casamento redescoberto. – Sempre olhei para os trinta como uma barreira para qualquer deleite real e arrebatador de paixão.

Volta a suspirar. Tão breve o Verão, antes do Outono e, depois, o Inverno! Fica a ler até depois da meia-noite, mas mesmo assim não consegue adormecer.

11

É quarta-feira. Levanta-se cedo, mas Lucy já está a pé. Encontra-a a ver os gansos selvagens no dique.

– Não são lindos? – diz ela. – Regressam todos os anos. Sempre estes mesmos três. Sinto-me uma mulher de sorte por me visitarem. Por eu ser a escolhida.

Três. Seria uma espécie de solução. Ele, Lucy e Melanie. Ou ele, Melanie e Soraya.

Tomam o pequeno-almoço juntos, depois levam os dois dobermanns a passear.

– Achas que conseguirias viver aqui, nesta parte do mundo? – pergunta Lucy sem mais nem menos.

– Porquê? Precisas de outro tratador de cães?

– Não, não estava a pensar nisso. Mas estou certa de que conseguias arranjar emprego na Universidade de Rhodes. Deves ter lá contactos ou em Port Elizabeth.

– Não me parece, Lucy. Já não tenho valor no mercado. O escândalo seguir-me-á, para todo o lado. Não, se eu arranjasse emprego teria de ser algo obscuro, como por exemplo escriturário mercantil, se é que essa profissão ainda existe, ou ajudante de canil.

– Mas se queres pôr cobro ao escândalo, não devias tentar defender-te? A bisbilhotice não se multiplica se uma pessoa fugir?

Enquanto criança, Lucy sempre foi recatada e discreta, observava-o, mas nunca, que ele soubesse, o julgara. Agora, com vinte e cinco anos, tornou-se independente. Os cães, a jardinagem, os livros de astrologia, as roupas assexuadas: em todas estas coisas ele reconhece uma declaração de independência, pensada, com um objectivo. O afastar-se dos homens também. Vivendo a sua própria vida. Afastando-se da sua protecção. Óptimo! Aprovado!

– É isso que pensas que eu fiz? – pergunta. – Que fugi da cena do crime?

– Bem, afastaste-te. Na prática, qual é a diferença?

– Não estás a perceber, minha querida. O que tu queres que eu faça já não pode ser feito, *basta.* Não, nos tempos que correm. Se eu tentasse fazê-lo ninguém me daria ouvidos.

– Isso não é verdade. Ainda que sejas aquilo que afirmas, um dinossauro moralista, há sempre curiosidade em ouvir um dinossauro a falar. Eu, pelo menos, tenho curiosidade. O que tens tu a dizer em tua defesa? Ora vamos lá ouvir.

Ele hesita. Será que Lucy quer mesmo que ele exiba mais das suas intimidades?

– A minha defesa apoia-se nos direitos do desejo – explica. – No deus que faz estremecer até os pequenos pássaros.

Imagina-se no apartamento da rapariga, no seu quarto, com a chuva a cair lá fora e o aquecedor a um canto emanando um odor a parafina, ajoelhando-se por cima dela, despindo-lhe as roupas, enquanto os seus braços descaíam como os braços de um cadáver. *Eu fui um servo de Eros*: é o que ele quer dizer, mas terá o atrevimento de o fazer? *Foi um deus que agiu através da minha pessoa.* Que vaidade! Contudo, não é mentira, não completamente. Em todo este infeliz acontecimento, houve algo de generoso que fez os possíveis por vir ao de cima. Se ao menos ele soubesse que teria tão pouco tempo.

Tenta novamente, mais devagar. – Quando tu eras pequena, quando ainda vivíamos em Kenilworth, os nossos vizinhos tinham um cão, um golden retriever. Não sei se te lembras.

– Mais ou menos.

– Era um macho. Sempre que aparecia uma cadela nas redondezas ele ficava excitado e intratável e os donos batiam-lhe com uma regularidade pavloviana. Isto continuou a acontecer até que o pobre do cão já não sabia o que fazer. Quando farejava uma cadela, punha-se a andar à volta do jardim com as orelhas caídas e o rabo entre as pernas, a ganir, tentando esconder-se.

Faz uma pausa. – Não vejo onde queres chegar – diz Lucy. E, na verdade, onde quer ele chegar?

– Havia algo de tão ignóbil naquele espectáculo que eu desesperava. Na minha opinião, pode castigar-se um cão por ele, por exemplo, roer um chinelo. Um cão aceita que se faça justiça por essa razão: uma coça por uma roedura. Mas o desejo é outra história. Nenhum animal aceitará a justiça de ser castigado por seguir os seus instintos.

– Queres dizer que os machos devem poder seguir os seus instintos sem limites? É essa a moral?

– Não, não é essa a moral. O que é ignóbil no espectáculo de Kenilworth, é que o pobre animal começou a odiar a sua própria natureza. Já não era preciso bater-lhe. Ele estava preparado para se castigar a si mesmo. Nessa altura, teria sido melhor abatê-lo a tiro.

– Ou castrá-lo.

– Talvez. Mas eu cá acho que, lá no fundo, ele preferia ser abatido. Preferia isso a ter de optar entre, por um lado, negar a sua natureza e, por outro, passar o resto da vida na sala de estar, a suspirar, a farejar o gato e a ficar obeso.

– Sempre pensaste assim, David?

– Não, nem sempre. Houve vezes em que pensei exactamente o contrário. Que todos passaríamos bem sem o desejo.

– Deixa que te diga – intervém Lucy – que eu subscrevo essa opinião.

Ele espera que ela continue, mas ela não o faz. – De qualquer forma – diz ela – voltando ao assunto de há pouco, foste escorraçado para um local seguro. Os teus colegas podem respirar fundo, enquanto o bode expiatório vagueia pela natureza.

Uma afirmação? Uma pergunta? Acreditará Lucy que ele não passa de um bode expiatório?

– Eu acho que bode expiatório não será a melhor descrição – diz, prudentemente. – Os bodes expiatórios resultaram na prática enquanto a ideia ainda era apoiada pelo poder religioso. Atiravam-se os pecados da cidade para cima das costas do bode, que era expulso, e a cidade ficava purificada. Resultava porque toda a gente sabia que interpretação fazer do ritual, incluindo os deuses. Depois os deuses morreram e, de repente, tornou-se necessário purificar a cidade sem ajuda divina. Tornaram-se necessárias acções reais em vez do simbolismo. Criou-se o censor, na acepção romana da palavra. A vigilância era a divisa: a vigilância de todos sobre todos. A purificação foi substituída pela purga.

Está a deixar-se levar; está a dar uma aula. – Seja como for – diz em tom de conclusão – depois de abandonar a cidade, o que dou por mim a fazer no deserto? A tratar de cães. A fazer de braço direito de uma mulher que é especialista em esterilização e eutanásia.

Lucy ri-se. – A Bev? Pensas que a Bev faz parte do mecanismo repressivo? A Bev tem pavor de ti! Tu és professor. Ela nunca conheceu um professor da velha guarda. Tem medo de dar erros gramaticais à tua frente.

Aproximam-se deles três homens, ou dois homens e um rapaz. Caminham depressa, dando longas passadas típicas dos homens do campo. O cão que segue ao lado de Lucy abranda, eriça o pêlo.

– Devemos ficar nervosos? – murmura.

– Não sei.

Ela encurta as trelas dos dobermans. Os homens estão ao pé deles. Um acenar, um cumprimento e seguem o seu caminho.

– Quem são eles? – pergunta.

– Nunca os tinha visto antes.

Chegam ao limite da plantação e voltam para trás. Perdem de vista os desconhecidos.

Ao aproximarem-se da casa escutam os cães que estão nas jaulas, alvoroçados. Lucy acelera o passo.

Estão lá os três desconhecidos, à espera deles. Os dois homens encontram-se a certa distância enquanto o rapaz espicaça os cães e faz movimentos repentinos e ameaçadores. Os cães, enraivecidos, ladram e tentam mordê-lo. O cão que segue ao lado de Lucy tenta libertar-se. Até a velha cadela buldogue, que ele parece ter adoptado, está a rosnar.

– Petrus! – chama Lucy. Mas de Petrus, nem sinal. – Afasta-te dos cães! – grita. – *Hamba!*

O rapaz afasta-se e junta-se aos companheiros. Tem o rosto achatado, inexpressivo, e olhos de porco; traz vestida uma camisa às flores, calças largas, um pequeno boné amarelo. Ambos os companheiros vestem macacões. O mais alto é bem-parecido, vistosamente bem-parecido, de testa alta, maxilares bem delineados, narinas largas e dilatadas.

Quando Lucy se aproxima, os cães acalmam-se. Abre a terceira jaula e mete lá dentro os dois dobermanns. Um gesto corajoso, pensa consigo mesmo; mas será sensato?

Vira-se para os homens e diz: – O que querem?

O mais jovem fala. – Temos de telefonar.

– E por que têm de telefonar?

– A irmã dele – faz um gesto vago para trás – está a ter um acidente.

– Um acidente?

– Sim, muito grave.

– Que género de acidente?

– Um bebé.

– A irmã dele está a ter um bebé?

– Sim.

– De onde são vocês?

– De Erasmuskraal.

Olha de relance para Lucy. Erasmuskraal, situada na concessão florestal; trata-se de uma aldeia sem electricidade nem telefone. A história tem lógica.

– Por que não telefonaram da estação florestal?

– Não está lá ninguém.

– Fica cá fora – diz-lhe Lucy baixinho; depois, vira-se para o rapaz: – Qual de vocês quer telefonar?

Ele indica o homem alto e bem-parecido.

– Entre – diz ela. Abre a porta das traseiras e entra. O homem alto segue-a. Passado um momento, o segundo homem passa por ele e entra também.

Passa-se algo de errado, percebe ele de imediato. – Lucy, vem cá fora! – chama, indeciso de momento, sem saber se o deve seguir ou ficar a vigiar o rapaz.

Vindo de dentro de casa, apenas silêncio. – Lucy! – chama novamente e está prestes a entrar, quando a porta se fecha.

– Petrus! – grita o mais alto que consegue.

O rapaz vira-lhe costas e desata a correr em direcção à porta da frente. Ele larga a trela da cadela. – Apanha-o! – grita. A cadela corre pesadamente atrás do rapaz.

Chega ao pé deles em frente à casa. O rapaz pegou num pau e utiliza-o para manter a cadela à distância. – Chô... chô... chô! – faz ele, choramingando, enquanto abana o pau. Rosnando baixo, a cadela anda em círculos para a esquerda e para direita.

Deixa-os e corre para a porta da cozinha. A tranca de baixo não está fechada: alguns pontapés com força e a porta escancara-se. Põe-se de gatas e entra para a cozinha.

Apanha uma pancada mesmo no alto da cabeça. Tem tempo para pensar: «Se ainda estou consciente é porque estou bem», antes de perder a força nos membros e cair desamparado.

Sente que o arrastam pelo chão da cozinha. Depois perde a consciência.

Está deitado de barriga para baixo na tijoleira fria. Tenta erguer-se, mas, por alguma razão, não consegue mover as pernas. Volta a fechar os olhos.

Encontra-se na casa de banho, na casa de banho da casa de Lucy. Levanta-se, estonteado. A porta está fechada e a chave não está na fechadura.

Senta-se na sanita e tenta recuperar. A casa está em silêncio; os cães estão a ladrar, mas, ao que parece, mais por dever do que enfurecidos.

– Lucy! – diz em voz baixa, e depois, mais alto: – Lucy!

Tenta abrir a porta com um pontapé, mas não está em si e, de qualquer forma, o espaço é reduzido e a porta muito antiga e sólida.

Com que então chegou o dia da prova. Sem aviso, sem fanfarra, chegou, e lá está ele, a meio da prova. O coração bate-lhe tanto no peito que também ele deve saber. Como conseguirão enfrentar a prova, ele e o seu coração?

A sua filha encontra-se na mão de desconhecidos. Dentro de um minuto, dentro de uma hora, será tarde de mais; seja o que for que lhe acontecer ficará cravado na pedra, pertencerá ao passado. Mas *agora,* ainda não é tarde de mais. *Agora* ele tem de fazer algo.

Apesar de se esforçar por ouvir alguma coisa, não consegue descortinar qualquer ruído dentro de casa. Contudo, se a filha estivesse a chamar, por muito abafados que fossem os seus gritos, com certeza conseguiria ouvi-los!

Bate na porta. – Lucy! – grita. – Lucy, fala comigo!

A porta abre-se, desequilibrando-o. À sua frente aparece o segundo homem, o mais baixo, segurando uma garrafa de litro vazia pelo gargalo. – As chaves – diz.

– Não.

O homem dá-lhe um empurrão. Cai para trás, senta-se pesadamente. O homem ergue a garrafa. Tem o rosto calmo, sem qualquer vestígio de raiva. Está meramente a fazer um trabalho: a pedir a alguém que entregue um objecto. Se for necessário bater-lhe com a garrafa, bate-lhe, bate-lhe as vezes que forem necessárias, se for preciso partindo a garrafa.

– Aqui estão – diz. – Levem tudo. Mas não façam mal à minha filha.

Sem dizer palavra, o homem pega nas chaves e fecha-o novamente.

Estremece. Um trio perigoso. Por que razão não percebeu isso a tempo? Mas não estão a fazer-lhe mal, por enquanto. Será possível que o que a casa tem para oferecer seja o suficiente para eles? Será possível que também não façam mal a Lucy?

Ouvem-se vozes vindas da parte de trás da casa. O ladrar dos cães também se torna mais alto, mais excitado.

Põe-se de pé no tampo da sanita e espreita pelas grades da janela.

Com a espingarda de Lucy e um saco de lixo cheio na mão, o segundo homem acaba de dobrar a esquina. Ouve-se a porta de um carro a fechar. Reconhece o som: é o seu carro. O homem aparece novamente sem nada nas mãos. Por um momento, os seus olhares cruzam-se. – Olá! – diz o homem lançando-lhe um sorriso severo e proferindo algumas palavras. Escutam-se gargalhadas. Um momento depois o rapaz junta-se-lhes e permanecem por baixo da janela, observando o prisioneiro, discutindo o seu destino.

Ele fala italiano, fala francês, mas o italiano e o francês não o vão salvar aqui, na África profunda. Está desamparado, como um Aunt Sally, uma personagem dos desenhos animados, um missionário de batina e topi, aguardando de mãos cruzadas e olhos voltados para o céu enquanto os selvagens, na sua língua, fazem os preparativos para o meterem no caldeirão com água a ferver. Trabalho de missão: o que lhe deixou aquela enorme empresa de elevação espiritual? Nada que se possa ver.

Agora o homem alto aparece com a espingarda. Com grande perícia, introduz um cartucho na culatra e aponta a arma para as jaulas dos cães. O pastor-alemão maior, enraivecido, tenta abocanhá-lo. Segue-se um enorme estampido; sangue e miolos salpicam a jaula. Por um momento, os cães calam-se. O homem dispara mais duas vezes. Um cão, cujo peito é atravessado pela bala, morre de imediato; outro, ferido na garganta, senta-se pesadamente, baixa as orelhas e seguindo com o olhar os movimentos deste ser que nem se dá ao trabalho de lhe dar o golpe de misericórdia.

Faz-se silêncio. Os restantes três cães, sem terem onde se esconder, recuam para a parte de trás das jaulas, ganindo baixinho. Fazendo uma pausa entre cada tiro, o homem abate-os.

Escutam-se passos no corredor e a porta da casa de banho volta a abrir-se. O segundo homem está à sua frente; por detrás dele, consegue vislumbrar o rapaz da camisa florida a comer gelado. Tenta abrir caminho à força, passa pelo homem, depois cai pesadamente. Um género de rasteira: devem treinar no futebol.

Enquanto jaz ali deitado, encharcam-no com um líquido da cabeça aos pés. Fica com os olhos a arder, tenta limpá--los. Reconhece o cheiro: álcool metílico. Quando tenta levantar-se, empurram-no para a casa de banho. Um fósforo é riscado e, de imediato, fica imerso em chamas azuis.

Portanto, estava enganado! Afinal, não vão deixá-los sem os magoarem. Ele pode arder, pode morrer; e se ele pode morrer, pode acontecer o mesmo a Lucy, acima de tudo Lucy!

Leva as mãos à cara, como um louco; o seu cabelo crepita quando é atingido pelo fogo; lança-se ao chão em desespero, soltando urros que não revelam qualquer palavra, apenas medo. Tenta levantar-se, mas obrigam-no a deitar-se novamente. Por um momento, consegue vislumbrar a escassos centímetros da sua cara macacões azuis e um sapato. A ponta do sapato enrola-se para cima; tem pedaços de relva colados à sola.

Uma chama dança-lhe em silêncio nas costas de uma mão. Põe-se de joelhos e mergulha a mão na sanita. A porta fecha-se e é trancada atrás dele.

Debruça-se sobre a sanita, salpicando água para cara, apagando as chamas que lhe dançam na cabeça. Paira no ar um odor desagradável a cabelo chamuscado. Levanta-se, apaga as últimas chamas que tem nas roupas.

Lava a cara com água. Sente os olhos a arder e uma pálpebra começa já a fechar-se. Passa uma mão pela cabeça e fica com as pontas dos dedos negras de fuligem. À excepção de um pedaço por cima de uma orelha, parece que não tem cabelo; todo o couro cabeludo está macio, está tudo queimado, morto. Morto ou matado?

– Lucy! – grita. – Estás aí?

Tem uma visão de Lucy debatendo-se com os dois homens de macacão, lutando com eles. Contorce-se, tentando afastar a ideia.

Ouve o seu carro a pegar e o ruído dos pneus na gravilha. Terá terminado? Será verdade que se estão a ir embora?

– Lucy! – grita, vezes sem conta, até que a sua voz denota alguma loucura.

Finalmente, graças a Deus, escuta a chave na fechadura. Quando abre a porta, Lucy já lhe voltou as costas. Traz um robe vestido, tem os pés descalços e o cabelo molhado.

Segue-a pela cozinha, onde encontra o frigorífico com a porta escancarada e comida espalhada pelo chão. Ela está parada na porta das traseiras a olhar a carnificina nas jaulas dos cães. – Meus queridos, meus queridos! – consegue ouvi-la dizer num murmúrio.

Abre a primeira jaula e entra. O cão que foi atingido na garganta, sabe lá como, ainda consegue respirar. Ela inclina-se sobre ele, fala-lhe. Debilmente, o cão abana a cauda.

– Lucy! – volta a chamar e, pela primeira vez, ela encara-o. Faz uma careta. – Que raio te fizeram eles? – exclama.

– Minha querida filha! – diz ele. Segue-a até às jaulas e tenta abraçá-la. Suavemente, decidida, ela afasta-o.

A sala de estar está num caos, tal como o quarto dele. Roubaram-lhe coisas: o casaco, os sapatos bons, e isto para começar.

Olha-se ao espelho. Cinza castanha, que é tudo o que lhe resta do cabelo, cobre-lhe o couro cabeludo e a testa. Por baixo da cinza, o couro cabeludo está cor-de-rosa. Toca na pele: dói-lhe e começa a desfazer-se. Uma das pálpebras está tão inchada que se fecha; as sobrancelhas desapareceram, as pestanas também.

Vai à casa de banho, mas a porta encontra-se fechada. – Não entres – diz Lucy.

– Estás bem? Estás magoada?

Perguntas estúpidas; ela não responde.

Ele tenta lavar as cinzas na torneira da cozinha, vertendo vários copos de água sobre a cabeça. A água escorre-lhe pelas costas; começa a tremer de frio.

Está sempre a acontecer, a toda a hora, a todo o minuto, em toda a parte do país, diz para consigo. É muita sorte ter escapado com vida. É muita sorte não estar prisioneiro deles e ir no carro a alta velocidade ou jazer numa vala com uma bala enfiada na cabeça. Lucy também teve muita sorte. Acima de tudo, Lucy.

É um risco ter seja o que for; ter um carro, ter um par de sapatos, ter um maço de cigarros. Não há o suficiente para todos, não há carros suficientes, sapatos, cigarros. Há gente a mais e coisas a menos. O que existe deve entrar em circulação de forma a que todos tenham a hipótese de serem felizes por um dia. É essa a teoria; agarremo-nos à teoria e aos confortos da teoria. Nada de maldade humana, apenas um vasto sistema circulatório, onde a piedade e o terror são irrelevantes. É assim que se deve compreender a vida neste país: no seu aspecto esquemático. Caso contrário, uma pessoa pode dar em doida. Carros, sapatos; mulheres também. O sistema deve ter um espaço para as mulheres e para o que lhes acontece.

Lucy aparece por trás dele. Veste agora umas calças largas e uma gabardina; tem o cabelo penteado para trás, o rosto está lavado e completamente lívido. Ele olha-a nos olhos. – Minha querida, minha querida... – diz, e desata a chorar.

Ela não mexe um músculo para o confortar. – A tua cabeça tem um aspecto terrível – afirma. – Tens óleo para bebé no armário da casa de banho. Põe algum. Levaram o teu carro?

– Levaram. Acho que foram na direcção de Port Elizabeth. Tenho de telefonar à polícia.

– Não podes. Partiram o telefone.

Lucy afasta-se. Ele senta-se na cama e espera. Embora tenha colocado um cobertor pelas costas, continua a tremer. Tem um pulso inchado e a latejar de dor. Não se lembra como o magoou. Já está a ficar negro. A tarde inteira parece ter passado num abrir e fechar de olhos.

Lucy regressa. – Furaram os pneus do *Volkswagen* – diz ela. – Vou a pé a casa do Ettinger. Não demoro. – Faz uma pausa. – David, quando as pessoas perguntarem, importas-te de contar apenas a tua história, apenas o que te aconteceu a ti?

Ele não compreende.

– Tu contas o que te aconteceu, eu conto o que me aconteceu – repete.

– Estás a cometer um erro – diz ele numa voz que depressa se transforma num grasnar.

– Não estou, não – diz ela.

– Minha filha, minha filha! – diz ele, esticando-lhe os braços. Como ela não se aproxima, ele pousa o cobertor, levanta-se e abraça-a. Ao abraçá-la, sente-a rija como um madeiro, não se rendendo nada.

12

Ettinger é um velho rabugento que fala inglês com um sotaque claramente alemão. A mulher morreu, os filhos regressaram à Alemanha, só ele ficou em África. Chega na sua carrinha de três mil centímetros cúbicos com Lucy a seu lado e fica à espera com o motor a trabalhar.

– Pois eu, nunca vou a lado nenhum sem a minha *Beretta* – diz ele quando seguem pela estrada de Grahamstown. E leva a mão ao coldre que traz à cintura. – O melhor é uma pessoa proteger-se a si mesma, porque a polícia não o faz, não agora, disso podem ter a certeza.

Ettinger terá razão? Se ele tivesse uma arma, teria salvado Lucy? Tem dúvidas. Se ele tivesse uma arma, provavelmente estaria morto, assim como Lucy.

Repara que as mãos lhe tremem ligeiramente. Lucy vai com os braços cruzados sobre o peito. Será por também estar a tremer?

Esperava que Ettinger os levasse à esquadra da polícia. Mas, afinal, Lucy pediu-lhe que os levasse ao hospital.

– Por minha ou por tua causa? – pergunta ele.

– Por tua.

– A polícia não quererá falar também comigo?

– Não há nada que tu lhes possas dizer que eu também não possa – responde. – Ou haverá?

No hospital, Lucy entra em largas passadas pela porta da URGÊNCIA, preenche o formulário por ele e manda-o ir sentar-se na sala de espera. Toda ela emana vigor e decisão, enquanto a tremura parece ter alastrado a todo o corpo dele.

– Se te derem alta, fica aqui à espera – diz ela. – Eu venho buscar-te.

– E tu?

Ela encolhe os ombros. Se também está a tremer, não o demonstra.

Arranja um lugar entre duas raparigas robustas que poderiam ser irmãs – uma tem ao colo uma criança a gemer – e um homem com ligaduras ensanguentadas numa mão. Tem onze pessoas à frente. O relógio de parede marca 5:45. Fecha a pálpebra que não está queimada e cai num torpor durante o qual as duas irmãs continuam a bichanar. Quando abre o olho, o relógio ainda marca 5:45. Estará avariado? Não: o ponteiro dos minutos dá um solavanco e pára nas 5:46.

Passam duas horas até a enfermeira o chamar e tem ainda de esperar mais até que a médica de serviço, uma jovem indiana, o atenda.

As queimaduras que tem no couro cabeludo não são graves, explica-lhe a médica, mas tem de ter cuidado para não infectarem. Ela perde mais tempo com o olho. A pálpebra de cima está colada à de baixo; separá-las é extremamente doloroso.

– Está com sorte – comenta a médica depois de o examinar. – O olho não sofreu qualquer dano. Se tivessem usado gasolina a coisa seria diferente.

Sai de lá com a cabeça ligada, o olho tapado e o pulso envolto em gelo. Surpreende-se por encontrar Bill Shaw na sala de espera. Bill, que lhe dá pelo ombro, agarra-o pelos ombros. – Revoltante, absolutamente revoltante – diz. – A Lucy está em nossa casa. Ela queria vir buscá-lo, mas a Bev não deixou. Como se sente?

– Estou bem. Queimaduras superficiais, nada de grave. Lamento ter-lhe estragado a noite.

– Que disparate! – exclama Bill Shaw. – É para isso que servem os amigos. O senhor teria feito o mesmo.

Ditas sem ironia, não consegue esquecer aquelas palavras. Bill Shaw acredita que se ele, Bill Shaw, tivesse sido atingido na cabeça e lhe tivessem deitado fogo, ele, David Lurie, teria ido ao hospital e ficado à espera para o levar a casa apenas com um jornal para ler. Bill Shaw acredita que, como tomaram chá juntos uma vez, David Lurie é seu amigo e têm obrigações um para com o outro. Será que Bill Shaw tem razão? Será que Bill Shaw, nascido em Hankey, a menos de duzentos quilómetros dali, trabalhando numa loja de ferragens, conhece tão pouco do mundo que não sabe que existem homens que não fazem amigos facilmente, cuja atitude em relação às amizades está corroída pelo cepticismo? *Amigo,* do mesmo radical de *amar.* Será que, aos olhos de Bill Shaw, beber chá juntos é uma autenticação de laços de amor? Mas, se não fosse Bill e Bev Shaw, se não fosse o velho Ettinger, se não fossem estes laços de algum tipo, onde estaria ele agora? Na quinta devastada com o telefone partido e os cães mortos?

– Chocante – repete Bill Shaw no carro. – Uma atrocidade. Já custa quando lemos nos jornais, mas então quando acontece a alguém conhecido – abana a cabeça – dá mesmo que pensar. É como voltar outra vez à guerra.

Não se dá ao trabalho de responder. O dia ainda não acabou, pelo contrário. *Guerra, atrocidade:* cada palavra com que se tenta resumir o dia, engole-a o dia pela goela negra abaixo.

Bev Shaw vem recebê-los à porta. Explica que Lucy tomou um sedativo e está deitada; é melhor não a incomodarem.

– Ela foi à polícia?

– Foi, já emitiram um comunicado relativamente ao seu carro.

– E foi ao médico?

– Teve de ir. E o senhor? A Lucy disse-me que estava muito queimado.

– Tenho algumas queimaduras, mas não tão graves como parecem.

– Então deve tentar comer alguma coisa e descansar.

– Não tenho fome.

Bev enche de água a velha banheira grande de ferro fundido. Ele deita-se na água quente e tenta relaxar. Mas, quando tem de sair da banheira, escorrega e quase cai: está fraco como um bebé e também não consegue pensar com coerência. Vê-se obrigado a chamar Bill Shaw e a sofrer a ignomínia de ser ajudado a sair da banheira, ajudado a limpar-se, ajudado a vestir um pijama emprestado. Mais tarde, escuta Bev e Bill a falarem em voz baixa e percebe que estão a falar dele.

Saiu do hospital com um frasco de analgésicos, uma embalagem de ligaduras e um pequeno instrumento de alumínio para amparar a cabeça. Bev Shaw instala-o num sofá que cheira a gato; ele adormece com uma facilidade surpreendente. Acorda a meio da noite num estado de máxima vigília. Teve uma visão: Lucy falou-lhe; as suas palavras – «Vem cá, vem salvar-me!» – ainda lhe ecoam na cabeça. Na visão, ela está parada de braços estendidos, com o cabelo molhado penteado para trás, no meio de um campo cheio de claridade.

Levanta-se, tropeça numa cadeira, deita-a ao chão. Acende-se uma luz e Bev Shaw aparece de camisa de noite.

– Tenho de falar com a Lucy – murmura: tem a boca seca, a língua presa.

A porta do quarto de Lucy abre-se. Lucy não está nada parecida com a visão. Tem o rosto inchado de sono e tenta apertar o cinto de um roupão que, obviamente, não lhe pertence.

– Desculpa, tive um sonho – diz ele. De repente, a palavra *visão* parece-lhe antiquada, estranha. – Pensei que estavas a chamar-me.

Lucy abana a cabeça. – Mas não estava. Vai dormir.

Ela tem razão, é claro. São três da manhã. Mas ele não consegue deixar de reparar que, pela segunda vez, nesse dia, ela se lhe dirigiu como se ele fosse uma criança – uma criança ou um velho.

Tenta voltar a adormecer, mas não consegue. Pensa que deve ser dos comprimidos: não foi uma visão, nem sequer um sonho, apenas uma alucinação devida aos químicos.

Não obstante, a imagem da mulher naquele campo cheio de claridade não o abandona. «Salva-me!» grita a filha; as palavras são claras, sonantes, urgentes. Será possível que a alma de Lucy tenha abandonado o seu corpo e ido ter com ele? Será que as pessoas que não acreditam nas almas as têm na mesma, e será que as suas almas têm uma vida independente?

Ainda faltam horas para o nascer do Sol. Dói-lhe o pulso, tem os olhos a arder, tem o couro cabeludo dorido e irritado. Acende a luz cuidadosamente e levanta-se. Com um cobertor pelos ombros abre a porta de Lucy e entra. Encontra-se uma cadeira ao lado da cama; senta-se. Os seus sentidos dizem-lhe que ela está acordada.

O que está ele a fazer? Está a proteger a sua filhinha, está a guardá-la do mal, está a afastar os maus espíritos. Passado algum tempo sente que ela começa a relaxar. Escuta um estalido suave, quando os seus lábios se entreabrem, e o mais delicado ressonar.

É de manhã. Bev Shaw serve-lhe o pequeno-almoço que consiste em flocos de milho e chá e depois vai ao quarto de Lucy.

– Como está ela? – pergunta quando ela regressa.

Bev Shaw responde apenas com um breve abanar da cabeça. Não é da sua conta, parece querer dizer. Menstruação, dar à luz, violação e as suas consequências: assuntos de sangue; o fardo das mulheres, a salvaguarda das mulheres.

Sem ser esta a primeira vez, pensa se as mulheres não seriam mais felizes se vivessem em comunidades apenas de mulheres, aceitando visitas de homens apenas quando quisessem. Talvez seja errado pensar que Lucy é homossexual. Pura e simplesmente, talvez ela prefira a companhia feminina. Ou talvez seja isso mesmo o que as lésbicas são: mulheres que não precisam de homens.

Não admira que Lucy e Helen sejam tão veementes contra a violação. Violação, a deusa do caos e da mistura, violadora de segregações. Violar uma lésbica é pior do que violar uma virgem: é um golpe mais forte. Será que aqueles homens sabiam o que estavam a fazer? Será que sabiam?

Às nove horas, depois de Bill Shaw sair para o emprego, ele bate à porta de Lucy. Ela está deitada com a cara voltada para a parede. Ele senta-se a seu lado e toca-lhe no rosto. Está humedecido pelas lágrimas.

– Não é fácil falar sobre isto – diz – mas foste ao médico?

Ela senta-se e limpa o nariz. – Fui ontem ao meu médico de família.

– E ele tratou de todas as formalidades?

– Ela – explica. – Ela, não é ele. Não – e a sua voz denota alguma raiva –, como poderia ela tratar de todas as formalidades? Tem juízo!

Ele levanta-se. Se ela opta por estar irritada, também ele pode ficar irritado. – Desculpa ter perguntado – diz ele. – Quais são os nossos planos para hoje?

– Os nossos planos? Regressar à quinta e limpar tudo.

– E depois?

– Depois continua tudo como antes.

– Na quinta?

– É claro. Na quinta.

– Tem paciência, Lucy. As coisas mudaram. Não é possível continuar como antes.

– Por que não?

– Porque não é boa ideia. Porque não é seguro.

– Nunca foi seguro e não é uma ideia, nem boa nem má. Eu não vou regressar por causa de uma ideia. Vou regressar e mais nada.

Sentada com a camisa de noite vestida, ela enfrenta-o, de pescoço rígido, olhos brilhantes. Já não é a filha do seu pai, deixou de o ser.

13

Antes de partirem ele tem de mudar as ligaduras. Na pequena casa de banho atulhada, Bev Shaw retira-lhe as ligaduras. A pálpebra ainda está fechada e apareceram-lhe bolhas no couro cabeludo, mas os danos não são tão graves como poderiam ter sido. A parte mais dolorosa é o rebordo da orelha direita: trata-se, tal como a jovem médica referiu, da única parte que na realidade ardeu.

Com uma solução asséptica, Bev lava a pele cor-de-rosa, em carne viva e, depois, com a ajuda de uma pinça, coloca as compressas gordas, amareladas. Unta-lhe delicadamente a pálpebra e a orelha. Não fala enquanto trabalha. Ele recorda-se do bode na clínica e fica a pensar se, quando estava nas suas mãos, ele teria sentido a mesma paz.

– Pronto – diz ela, por fim, afastando-se.

Ele inspecciona a sua imagem ao espelho, com a touca branca e o olho tapado. – Impecável – diz, mas pensa: pareço uma múmia.

Tenta abordar novamente o tema da violação. – A Lucy disse-me que foi ontem ao médico de família.

– Sim.

– Há o risco de ficar grávida – continua. – Há o risco de uma infecção venérea. Há o risco do HIV. Ela não deveria também ir a um ginecologista?

Bev Shaw mexe-se, pouco à vontade. – Tem de dizer isso à Lucy.

– Já disse. Mas não consigo fazer com que ela compreenda isso.

– Diga-lhe outra vez.

Já passa das onze horas, mas Lucy não dá sinal de vida. Ele vagueia pelo jardim. Começa a sentir-se angustiado. Não apenas por não saber o que fazer consigo mesmo. Os acontecimentos do dia anterior chocaram-no profundamente. As tremuras e a fraqueza são apenas os primeiros sinais, os mais superficiais, desse choque. Sente que, dentro de si, um órgão vital ficou ferido, foi abusado – talvez mesmo o coração. Pela primeira vez, compreende como se sentirá quando for velho, cansado até aos ossos, sem esperança, sem desejos, indiferente em relação ao futuro. Afundado numa cadeira de plástico por entre os odores a penas de galinha e maçãs apodrecidas, sente o seu interesse pela vida a escoar-se gota a gota. Pode demorar semanas, pode demorar meses até ficar completamente seco, mas está a sangrar. Quando este processo terminar, será como a carcaça de uma mosca numa teia de aranha, quebradiço ao toque, mais leve do que farelo, pronto a flutuar e desaparecer.

Não pode esperar que Lucy o ajude. Pacientemente, em silêncio, Lucy tem de descobrir o caminho que a tirará da escuridão e a trará novamente para a luz. Até que ela volte a ser a mesma, ele é que tem de gerir a sua vida quotidiana. Mas isto foi demasiado rápido. Trata-se de um fardo que ele não está preparado para transportar: a quinta, o jardim, os canis. O futuro de Lucy, o seu futuro, o futuro da terra como um todo – é completamente indiferente a tudo; que se lixe, não interessa. Quanto aos homens que os visitaram, deseja-lhes mal, estejam onde estiverem, mas tirando isso não quer pensar neles.

Isto é apenas um efeito posterior, pensa, um efeito posterior à invasão. Em breve o organismo se regenerará e eu, o fantasma que o habita, serei o mesmo de sempre. Mas a verdade, sabe-o bem, é outra. O seu prazer em viver foi apagado. Tal como uma folha na corrente do rio, tal como uma bufa-de-lobo na aragem, ele começou a caminhar em direcção ao fim. Compreende-o muito bem e isso enche-o de (a palavra não o larga) desespero. O sangue da vida está a abandonar o seu corpo e o desespero a tomar o seu lugar, desespero esse que é como um gás, sem odor, sem sabor, sem sustento. Inspira-se, os membros relaxam, perde-se o interesse, mesmo quando o ferro nos toca na garganta.

A campainha toca: dois jovens polícias, de uniformes novos e aprumados, preparados para iniciarem as investigações. Lucy sai do quarto com um ar fatigado, vestindo as mesmas roupas do dia anterior. Não quer tomar o pequeno-almoço. Os polícias seguem a carrinha de Bev até à quinta.

Os cadáveres dos cães jazem na jaulas onde foram abatidos. *Katy*, a buldogue, ainda anda por ali: conseguem avistá-la escondendo-se sorrateiramente perto do estábulo, mantendo-se à distância. Petrus não dá sinal de vida.

Dentro de casa, os dois polícias tiram o chapéu e enfiam--no debaixo do braço. Ele afasta-se, deixa que seja Lucy a contar-lhes a história, conforme é seu desejo. Eles escutam--na com deferência, anotando todas as suas palavras, escrevinhando nervosamente nas páginas do bloco de notas. São da geração dela, mas, todavia, estão irritados com ela, como se ela fosse uma criatura poluída e a sua poluição pudesse atacá-los, conspurcá-los.

– Eram três homens – explica ela – ou dois homens e um rapaz. Mentiram-nos para conseguirem entrar em casa, levaram (ela descreve os artigos) dinheiro, roupas, um aparelho de televisão, um leitor de CD, uma espingarda e munições. Quando o meu pai tentou resistir, atacaram-no, regaram-no com álcool e tentaram pegar-lhe fogo. Depois abateram os cães e foram-se embora no carro dele. – Ela descreve os homens e o que traziam vestido; descreve o carro.

Enquanto fala, Lucy olha-o fixamente, ou para arranjar forças através dele, ou para o desafiar a contradizê-la. Quando um dos polícias pergunta: – Quanto tempo demorou o incidente? – ela responde: – Vinte, trinta minutos. – Uma mentira, tal como ele sabe, tal como ela sabe. Demorou muito mais. Quanto mais? O suficiente para os homens terminarem o servicinho com a dona da casa.

Contudo, ele não a interrompe. *Uma questão de indiferença*: mal escuta Lucy a contar a sua história. Algumas palavras que pairam na sua memória desde a noite anterior começam a ganhar forma. *Duas velhinhas fechadas na casa de banho / Lá ficaram de segunda a sábado / Ninguém sabia que lá estavam.* Fechado na casa de banho enquanto se serviam da filha. Uma cantiga da infância que lhe aponta um dedo zombeteiro. *Meu Deus, o que terá acontecido?* O segredo de Lucy; a sua vergonha.

Cuidadosamente, os polícias vagueiam pela casa, inspeccionando. Não há sangue, não há mobília derrubada. A desordem da cozinha foi limpa (por Lucy? quando?). Por detrás da porta da casa de banho encontram-se dois fósforos usados, em que nem sequer reparam.

No quarto de Lucy, a cama de casal está completamente despida. *O local do crime*, pensa ele; e, como se lhe pudessem ler o pensamento, os polícias desviam o olhar, seguem em frente.

Uma casa sossegada numa manhã de Inverno, nem mais, nem menos.

– Há-de vir cá um detective procurar impressões digitais – declaram ao ir-se embora. – Tentem não tocar em nada. Se se lembrarem de mais alguma coisa que eles tenham levado, liguem-nos para a esquadra.

Pouco tempo depois de saírem, chegam os técnicos da companhia dos telefones e depois o velho Ettinger. Ettinger nota a ausência de Petrus. – Não se pode confiar em nenhum. – Vai mandar vir um moço, diz ele, para arranjar o *Volkswagen*.

Noutros tempos vira Lucy enraivecer-se ao escutar a palavra *moço*. Agora não reage.

Acompanha Ettinger até à porta.

– Pobre Lucy – diz ele. – Deve ter sido muito mau para ela. Contudo, poderia ter sido pior.

– Pior? Como?

– Poderiam tê-la levado com eles.

Isso fá-lo parar para pensar. Não é nenhum tolo, este Ettinger. Por fim, fica sozinho com Lucy. – Eu enterro os cães, se me disseres onde – oferece-se. – O que vais dizer aos donos?

– Vou dizer-lhes a verdade.

– Será que o teu seguro cobre os danos?

– Não sei. Não sei se as apólices de seguros cobrem massacres. Vou ter de me informar.

Uma pausa. – Por que razão não contas a história como deve ser, Lucy?

– Eu contei a história como deve ser. A história como deve ser, foi a que eu contei.

Ele sacode a cabeça vagamente. – Estou certo de que lá terás as tuas razões mas, num contexto mais abrangente, tens a certeza de que esta é a melhor solução?

Ela não responde e ele não insiste, para já. Mas os seus pensamentos recaem sobre os três intrusos, sobre os três invasores, homens que, provavelmente, nunca mais verá e, contudo, para sempre farão parte da sua vida e da da sua filha. Eles lerão os jornais e escutarão os mexericos. Verão que estão a ser procurados apenas por assalto à mão armada. Compreenderão que estão a encobrir o caso da mulher como se fosse com um cobertor. *Envergonhada*, dirão entre eles, *envergonhada de mais para contar*, e soltarão risadinhas de luxúria, recordando a façanha. Estará Lucy disposta a conceder-lhes essa vitória?

Abre o buraco onde Lucy lhe indica, próximo do limite da propriedade. Uma campa para seis cães adultos: apesar de a terra ter sido recentemente arada, leva quase uma hora e, quando dá a tarefa por terminada, doem-lhe as costas, os braços e, novamente, também o pulso. Transporta os cadáveres num carrinho de mão. O cão que levou o tiro na garganta ainda tem os dentes ensanguentados. Foi como alvejar peixes num aquário, pensa ele. Desprezível, contudo estimulante, provavelmente, num país onde os cães são ensinados a rosnar ao sentirem o odor de um negro. Uma tarde de trabalho satisfatória, irreflectida, como toda a vingança. Atira os cães para o buraco, um a um, e depois tapa-o.

Quando regressa, encontra Lucy a instalar uma cama de campismo na pequena despensa que utiliza para armazenar coisas.

– Para quem é isso? – pergunta.

– Para mim.

– Por que não utilizas o outro quarto?

– As tábuas do tecto caíram.

– E o quarto grande, das traseiras?

– O frigorífico faz muito barulho.

Não é verdade. Mal se consegue escutar o ronronar do frigorífico no quarto das traseiras. É devido ao que o frigorífico tem lá dentro que Lucy não quer dormir ali: restos, ossos, carne para os cães que já não precisam dela.

– Fica no meu quarto – diz ele. – Eu durmo aqui. – E começa de imediato a recolher as suas coisas.

Mas quererá mesmo mudar-se para esta cela, com as caixas de conservas vazias empilhadas a um canto e aquela minúscula janela virada a Sul? Se os fantasmas dos violadores de Lucy ainda pairam no seu quarto, então têm de ser escorraçados, têm de ser impedidos de o transformarem no seu santuário. Assim, muda os seus haveres para o quarto de Lucy.

A noite cai. Não têm fome, mas comem. Comer é um ritual e os rituais tornam as coisas mais fáceis.

O mais delicadamente que consegue, volta a colocar-lhe a questão. – Lucy, minha querida, por que não queres contar? Cometeram um crime. Não é vergonha nenhuma ser-se objecto de um crime. Tu não escolheste ser esse objecto. Tu és a parte inocente.

Sentada na outra extremidade da mesa, à sua frente, Lucy respira fundo, recompõe-se, depois expira e abana a cabeça.

– Posso adivinhar? – pergunta ele. – Estás a tentar lembrar-me de algo?

– Estou a tentar lembrar-te de quê?

– Do que as mulheres passam nas mãos dos homens.

– Nada poderia estar mais distante dos meus pensamentos. Isto não tem nada a ver contigo, David. Queres saber por que razão não apresentei uma queixa em particular à polícia? Eu conto-te, desde que concordes em não voltares a tocar no assunto. Na minha opinião, aquilo que me aconteceu só a mim diz respeito. Noutra época, noutro local, talvez pudesse ser considerado um assunto público. Mas, neste local, nesta época, não é. É um assunto meu, apenas meu.

– E a que local te referes?

– A África do Sul.

– Não concordo. Não concordo com o que estás a fazer. Pensas, porventura, que ao aceitares pacificamente o que te aconteceu, conseguirás diferenciar-te de agricultores como o Ettinger? Pensas, porventura, que o que aconteceu aqui foi um teste: se tiveres boa nota, recebes um diploma e um salvo-conduto para o futuro, ou uma tabuleta para colocares por cima da porta que fará com que a praga passe sem te atacar? Não é assim que a vingança funciona, Lucy. A vingança é como um incêndio. Quanto mais devora, mais fome tem.

– Pára, David! Não quero ouvir essa conversa sobre pragas e incêndios. Não estou apenas a tentar salvar a minha pele. Se é isso que pensas, estás completamente enganado.

– Então, ajuda-me. Trata-se de alguma espécie de salvação privada que estás a tentar obter? Esperas poder expiar os crimes do passado sofrendo no presente?

– Não. Continuas a não entender. A culpa e a salvação são abstracções. Eu não funciono em termos de abstracções. Enquanto não fizeres um esforço para compreender, eu não posso ajudar-te.

Ele quer responder, mas ela interrompe-o. – David, fizemos um acordo. Eu não quero prosseguir com esta conversa.

Até então nunca tinham estado tão em desacordo. Ele está abalado.

14

Um novo dia. Ettinger telefona, oferecendo-se para lhes emprestar uma arma «para o entrementes». – Obrigado – responde. – Vamos pensar no assunto.

Pega nas ferramentas de Lucy e repara a porta da cozinha o melhor que pode. Deveriam instalar grades, portões de segurança, uma cerca a delimitar a propriedade, tal como Ettinger fez. Deveriam transformar a casa da quinta numa fortaleza. Lucy deveria comprar uma pistola e um rádio e ter aulas de tiro. Mas iria ela aceitar alguma destas sugestões? Ela está aqui porque ama a terra e a velha e *ländliche* forma de vida. Se essa forma de vida for condenada, o que lhe resta para amar?

Katy é retirada do esconderijo e instalada na cozinha. Anda amedrontada seguindo Lucy por toda a parte, sempre colada aos seus pés. A vida, a cada momento que passa, é cada vez mais diferente do que era. A casa parece estranha, violada; estão permanentemente alerta, escutando todos os ruídos.

Depois Petrus regressa. Roncando, um velho camião sobe o caminho sulcado pelas rodas dos carros e pára em frente ao estábulo. Petrus desce da cabina, vestindo um fato apertado de mais para ele e seguem-se-lhe a mulher e o condutor. Os dois homens começam a descarregar papelão, estacas de creosoto, placas de ferro galvanizado, tubos de plástico; e, por fim, acompanhadas de muito barulho e alvoroço, duas ovelhas quase adultas que Petrus prende a uma estaca da cerca. O camião contorna o estábulo e desce o caminho, rugindo. Petrus e a mulher desaparecem lá dentro. Uma nuvem de fumo começa a sair da chaminé de fribrocimento.

Ele continua a observá-los. Passado algum tempo, a mulher de Petrus vem cá fora e, com um gesto largo e desembaraçado, esvazia um balde de água suja. Uma mulher bonita, pensa consigo mesmo, com aquela saia comprida e o lenço na cabeça, à moda do campo. Uma mulher bonita e um homem de sorte. Mas onde estiveram eles?

– O Petrus está de volta – diz ele a Lucy. – Com uma carga de materiais de construção.

– Óptimo.

– Por que não te disse ele que ia sair? Não achas estranho que ele tenha desaparecido precisamente nesta altura?

– Não posso andar a dar ordens ao Petrus. Ele é senhor de si mesmo.

Um contra-senso, mas ele deixa passar. Decidiu deixar passar tudo no que se refere a Lucy, para já.

Lucy fecha-se, não exprime qualquer emoção, não mostra qualquer interesse no que a rodeia. É ele, ignorante no que diz respeito à agricultura, quem tem de abrir a porta da capoeira aos patos, manejar o sistema de levada de água para não deixar o jardim secar. Lucy passa horas a fio deitada na cama, olhando o infinito ou vendo revistas velhas, das quais parece ter uma colecção infinita. Folheia-as impacientemente, como se procurando algo que não está lá. De *Edwin Drood*, nem sinal.

Põe-se a espiar Petrus a trabalhar no dique, de fato-macaco. Parece-lhe estranho que o fulano ainda não tenha ido visitar Lucy. Dirige-se a ele, cumprimentam-se. – Deve ter ouvido falar, fomos vítimas de um grande assalto na quarta-feira, quando estava ausente.

– Sim – diz Petrus. – Ouvi dizer. Uma chatice, uma grande chatice. Mas agora já está bom.

Estará ele bom? Estará Lucy boa? Estará Petrus a fazer uma pergunta? Não lhe parece uma pergunta, mas não pode interpretá-la de outra forma, não seria decente. A questão é, qual é a resposta?

– Estou vivo – diz ele. – Desde que estejamos vivos estamos bons, acho eu. Por isso, sim, estou bom. – Faz uma pausa, espera, permite que o silêncio se instale, um silêncio que Petrus deveria preencher com a pergunta seguinte: *E como está Lucy?*

Engana-se. – A Lucy irá amanhã ao mercado? – pergunta Petrus.

– Não sei.

– Porque ela perderá a sua banca se não for – diz Petrus.

– Talvez.

– O Petrus quer saber se vais amanhã ao mercado – comunica ele a Lucy. – Receia que percas a tua banca.

– Por que não vão vocês os dois? – diz. – Não me sinto capaz.

– Tens a certeza? Seria uma pena perder uma semana.

Ela não responde. Prefere esconder a cara e ele sabe porquê. Por causa da desonra. Por causa da vergonha. Foi isso que os invasores conseguiram; foi isso que fizeram a esta jovem confiante e moderna. Tal como uma nódoa, a história espalha-se pela região. Não a história dela, mas sim a deles: eles é que mandam. Como a colocaram no seu lugar, como lhe mostraram aquilo para que serve uma mulher.

Com o olho tapado e as ligaduras na cabeça, também ele tem o seu quinhão de vergonha para se mostrar em público. Mas, para o bem de Lucy, submete-se ao mercado, sentando-se ao lado de Petrus, encarando os olhares dos curiosos, respondendo educadamente aos amigos de Lucy que optam por mostrar compaixão. – Sim, levaram o carro – explica. – E mataram os cães todos, excepto um. Não, a minha filha está boa, só que hoje não se sente lá muito bem. Não, não temos esperanças, a polícia está muito sobrecarregada, como devem calcular. Sim, serão entregues.

Lê a notícia do assalto no *Herald*. Chamam *assaltantes desconhecidos* aos três homens. «Três assaltantes desconhecidos atacaram Ms. Lucy Lourie e o seu velho pai na sua quinta perto de Salem, fugindo com roupas, electrodomésticos e uma arma de fogo. Num acto bizarro, os larápios alvejaram e abateram seis cães de guarda antes de fugirem num *Toyota Corolla* de 1993, com a matrícula CA 507644. Mr. Lourie, que ficou ligeiramente ferido durante o ataque, foi tratado no Settlers Hospital, tendo voltado para casa em seguida.»

Fica satisfeito por não associarem o velho pai de Ms. Lourie a David Lurie, discípulo do poeta naturalista William Wordsworth e, até há pouco tempo, professor da Universidade Técnica do Cabo.

Quanto ao mercado, pouco há que ele possa fazer. Petrus é quem expõe rápida e eficazmente a mercadoria, é quem sabe os preços, é quem recebe o dinheiro, é quem faz os trocos. Na verdade, Petrus é quem faz todo o trabalho, enquanto ele fica sentado a aquecer as mãos. Tal como nos velhos tempos: *baas en Klaas*. A única diferença é que ele não ousa dar ordens a Petrus. Petrus faz o que tem de ser feito e é tudo.

Não obstante, o negócio corre mal: menos de trezentos rands. Tal facto deve-se à ausência de Lucy, não há dúvida. Caixas de flores e sacos de vegetais têm de ser carregados novamente para o *Volkswagen*. Petrus abana a cabeça. – Correu mal – diz.

Até ao momento, Petrus não deu qualquer explicação por se ter encontrado ausente. Petrus tem o direito de entrar e sair a seu bel-prazer; exerceu esse direito; tem direito a não dar qualquer explicação. Mas permanecem algumas dúvidas. Saberá Petrus quem são os desconhecidos? Terá sido devido a alguma coisa que Petrus disse, que eles decidiram atacar Lucy em vez de, por exemplo, atacarem Ettinger? Será que Petrus sabia o que eles planeavam?

Noutros tempos teria sido possível fazer Petrus falar. Noutros tempos teria sido possível isso, se perdesse a paciência, o mandasse embora e contratasse outra pessoa para o seu lugar. Mas embora Petrus receba um ordenado, Petrus já não é, na verdadeira acepção da palavra, um assalariado. É difícil explicar o que Petrus é na verdadeira acepção da palavra. Na verdade, a palavra que parece adequar-se melhor é *vizinho*. Petrus é um vizinho que, por acaso, vende os seus serviços, porque isso é do seu interesse. Vende os seus serviços através de um contrato, um contrato verbal, e esse contrato não prevê o despedimento devido a suspeitas. Vivem num mundo novo, ele, Lucy e Petrus. Petrus sabe-o, ele sabe-o e Petrus sabe que ele sabe.

Apesar de tudo, sente-se à vontade com Petrus e está até disposto, apesar de guardar algumas reservas, a gostar dele. Petrus é um homem da sua geração. Não há dúvida de que Petrus já passou por muita coisa, não há dúvida, que tem uma história para contar. Não se importaria de ouvir a história de Petrus. Mas, de preferência, não em inglês. Cada vez mais, convence-se de que o inglês é um meio impróprio para descrever a realidade da África do Sul. Frases completas no código inglês há muito se tornaram obscuras, perderam a articulação, a inteligibilidade, a nitidez. Tal como um dinossauro às portas da morte que repousa na lama, a linguagem pereceu. Contada no molde inglês, a história de Petrus pareceria artrítica, ultrapassada.

O que mais o fascina em Petrus é o rosto, o rosto e as mãos. Se existe algo como uma labuta honesta, Petrus possui as suas marcas. Um homem paciente, enérgico, jovial. Um camponês, um *paysan*, um homem do campo. Um conspirador, um maquinador e, sem qualquer dúvida, também um mentiroso, tal como todos os camponeses. Labuta honesta e astúcia honesta.

David tem as suas suspeitas acerca do que Petrus pretende a longo prazo. Petrus não se satisfará em arar para sempre o seu hectare e meio. Lucy pode ter cá ficado mais tempo do que os seus amigos *hippies*, do que os seus amigos ciganos, mas para Petrus, Lucy não é ninguém: não passa de uma amadora, uma entusiasta da vida no campo e não uma camponesa. Petrus gostaria de se apoderar da terra de Lucy. Depois gostaria de ficar também com a de Ettinger ou, pelo menos, com o suficiente para ter uma manada. Ettinger será um osso mais duro de roer. Lucy não passa de um transeunte; Ettinger é outro camponês, um filho da terra, tenaz, *eingwurzelt*. Mas Ettinger morrerá em breve e o seu filho foi embora. Nesse aspecto, foi estúpido. Um bom camponês trata de deixar muitos filhos.

Petrus tem uma visão do futuro na qual pessoas como Lucy não têm lugar. Mas não é caso para fazer de Petrus um inimigo. A vida no campo sempre teve a ver com vizinhos a maquinar uns contra os outros, desejando pestes uns aos outros, desejando colheitas pobres uns aos outros, desejando a ruína financeira uns aos outros, mas, em momento de crise, sempre prontos a ajudarem-se mutuamente.

O pior, a interpretação mais obscura, seria que Petrus contratou três desconhecidos para darem uma lição a Lucy, deixando-lhes como pagamento o saque. Mas não consegue acreditar nisso, seria demasiado simples. A verdade, suspeita, é algo muito mais – procura a palavra indicada – *antropológico*, algo que demoraria meses a compreender plenamente, meses de paciência, meses de conversas calmas com dezenas de pessoas e com a ajuda de um intérprete.

Por outro lado, acredita que Petrus sabia que algo estava para acontecer; acredita que Petrus poderia ter avisado Lucy. É por essa razão que não esquecerá o assunto. É por essa razão que continua a importunar Petrus.

Petrus esvaziou o reservatório do dique e está a limpar as algas. Trata-se de uma tarefa desagradável. Contudo, oferece-se para o ajudar. Com os pés enfiados nas galochas de Lucy, entra para o reservatório, caminhando cuidadosamente no fundo escorregadio. Durante algum tempo, trabalham em sincronia, raspando, esfregando, tirando o lodo às pazadas. Depois não aguenta mais.

– Sabe, Petrus – diz ele –, custa-me a acreditar que aqueles homens fossem desconhecidos. Custa-me a acreditar que tenham aparecido sem mais nem menos, que tenham feito o que fizeram e que depois tenham desaparecido que nem fantasmas. E custa-me a acreditar que nos tenham escolhido a nós por sermos os primeiros brancos que encontraram naquele dia. O que acha? Estarei enganado?

Petrus fuma cachimbo, um cachimbo de modelo antigo com a haste em gancho e uma pequena tampa de prata no

fornilho. Endireita-se, tira o cachimbo do bolso do fato-
-macaco, levanta a tampa, deita tabaco no fornilho, fuma o
cachimbo apagado. Olha com ar pensativo por cima da
parede do dique, para lá dos montes, para lá dos campos.
A sua expressão é perfeitamente tranquila.

– A polícia tem de os encontrar – diz, por fim. – A polícia tem de os encontrar e de os mandar para a cadeia. É essa
a tarefa da polícia.

– Mas a polícia não vai encontrá-los sem ajuda. Aqueles
homens sabiam da estação florestal. Estou convencido que
também sabiam da Lucy. Como poderiam saber que ela
estava aqui se não conhecessem a região?

Petrus opta por não considerar esta frase uma pergunta.
Guarda o cachimbo no bolso e troca a espátula pela vassoura.

– Não se tratou de um simples roubo, Petrus – prossegue. – Eles não vieram cá apenas para roubar. Não vieram
cá apenas para me fazerem isto. – Toca nas ligaduras, toca
na pala que tem no olho. – Vieram cá fazer algo mais. Sabe
ao que eu me refiro e, se não sabe, estou certo que consegue adivinhar. Depois de fazerem o que fizeram, não pode
esperar que a Lucy prossiga com a vida dela como antes.
Eu sou o pai da Lucy. Eu quero que aqueles homens sejam
presos, julgados e castigados. Estarei errado? Estarei errado
por querer que se faça justiça?

Agora já não lhe interessa a forma como vai arrancar as
palavras a Petrus, apenas lhe interessa ouvi-las.

– Não, não está errado.

É atravessado por uma rajada de fúria, suficientemente
poderosa para o apanhar de surpresa. Pega na espátula e
arranca pedaços de lama e ervas do fundo do dique, ati-
rando-os por cima do ombro, por cima do muro. *Estás a
enfurecer-te,* repreende-se: *Pára com isso*! Contudo, neste
momento apetecia-lhe atirar-se ao pescoço de Petrus. *Se
tivesse sido a sua mulher em vez da minha filha,* gostaria de
dizer a Petrus, *não estaria a brincar com o cachimbo e a escolher as palavras tão ponderadamente. Violação:* é essa a palavra que gostaria de arrancar a Petrus. Sim, foi uma viola-

ção, gostaria de escutar Petrus dizer: *Sim, foi uma atrocidade.*

Em silêncio, lado a lado, terminam o trabalho.

É assim que os dias vão passando na quinta. Ajuda Petrus a limpar o sistema de irrigação. Trata do jardim. Prepara os produtos para vender no mercado. Ajuda Bev Shaw na clínica. Varre o chão, cozinha, faz tudo o que Lucy já não faz. Está ocupado desde o raiar da aurora até ao cair da noite.

O olho está a sarar surpreendentemente depressa: passada uma semana, consegue utilizá-lo novamente. As queimaduras levam mais tempo a sarar. Mantém as ligaduras na cabeça e na orelha. Esta, assemelha-se a um molusco cor-de-rosa: não sabe quando terá coragem suficiente para a expor ao olhar dos curiosos.

Compra um chapéu para se proteger do sol e, de certa forma, também para esconder o rosto. Tenta habituar-se a ter um ar estranho, mais do que estranho, repugnante – uma daquelas pobres criaturas para quem as crianças ficam a olhar embasbacadas na rua. – Por que razão aquele senhor é assim? – perguntam às mães enquanto estas as levam a reboque.

Vai às lojas de Salem apenas quando é estritamente necessário e a Grahamstown vai apenas aos sábados. De repente, tornou-se um recluso, um recluso agrícola. É o fim da vida errante. Embora o coração continue apaixonado e a lua brilhante. Quem diria que teriam um fim tão rápido e repentino: a vida errante, a paixão!

Não há nenhuma razão para pensar que os seus infortúnios já sejam conhecidos na Cidade do Cabo. Não obstante, quer certificar-se de que a história não chega aos ouvidos de Rosalind de forma deturpada. Tenta ligar-lhe por duas vezes, mas não consegue. Telefona uma terceira vez para a agência de viagens onde ela trabalha. Dizem-lhe que Rosalind se encontra em Madagáscar numa expedição; dão-lhe o número de fax de um hotel em Antananarivo.

Escreve uma mensagem: «Lucy e eu tivemos alguns azares. Roubaram-me o carro e houve luta, da qual eu saí algo maltratado. Nada de sério – estamos ambos bem, embora abalados. Achei melhor dizer-te para o caso de haver rumores. Espero que estejas a divertir-te.» Dá a mensagem a Lucy para ela a aprovar e depois a Bev Shaw para a enviar. Para Rosalind, na África profunda.

Lucy não está a melhorar. Passa as noites acordada, diz que não consegue dormir; depois, de tarde, encontra-a a dormir no sofá com o dedo na boca, como um bebé. Perdeu o interesse pela comida: ele tem de a incitar a comer, preparando pratos desconhecidos, porque ela se recusa a comer carne.

Não foi para isto que veio para cá – para ficar preso ao passado, afastando demónios, cuidando da filha, empreendendo uma tarefa moribunda. Se veio com algum objectivo, foi para se recompor, para recuperar forças. E aqui está ele, piorando de dia para dia.

Os demónios não o largam. Tem pesadelos onde chafurda numa cama ensanguentada ou onde, arfando e soltando gritos mudos, foge de um homem com cara de falcão, com uma máscara como Benim, como Tote. Certa noite, meio adormecido, meio insano, arranca a roupa da cama, chega mesmo a voltar o colchão ao contrário, em busca de nódoas.

Há ainda o projecto Byron. Dos livros que trouxe da Cidade do Cabo, apenas lhe restam dois volumes das cartas – os restantes estavam na mala do carro. A biblioteca pública de Grahamstown não possui senão alguns excertos dos poemas. Mas ele terá mesmo de ler mais? Que mais precisa ele de saber acerca do estilo de vida de Byron e da sua conhecida na velha Ravena? Não conseguirá ele, neste momento, inventar um Byron e uma Teresa verdadeiros?

Para dizer a verdade, há meses que anda a adiar o momento em que terá de enfrentar uma página em branco, em que terá de escrever a primeira nota e verificar aquilo que vale. Tem já em mente passagens de um dueto entre amantes, as vocalizações, soprano e tenor, enroscando-se sem palavras e passando um pelo outro como serpentes. Melodia sem clímax; o murmúrio de escalas répteis em escadas de mármore; e, vibrando ao fundo, o barítono do marido humilhado. Será aqui que o sombrio trio, final-mente, será trazido à vida: não na Cidade do Cabo, mas na velha Cafraria?

15

As duas ovelhas jovens ficam presas ao lado do estábulo num pedaço de terreno árido o dia inteiro. Os seus balidos, constantes e monótonos, começam a irritá-lo. Dirige-se a Petrus, que tem a bicicleta de rodas para o ar e está a arranjá-la. – Aquelas ovelhas – diz –, não acha que as podíamos amarrar em algum local onde possam pastar?

– São para a festa – diz Petrus. – No sábado vou matá-las para a festa. O David e a Lucy têm de vir. – Limpa as mãos. – Estão convidados para a festa.

– No sábado?

– Sim, vou dar uma festa no sábado. Uma grande festa.

– Obrigado. Mas ainda que as ovelhas sejam para a festa, não acha que poderiam pastar?

Uma hora depois, as ovelhas ainda estão amarradas, ainda estão a balir penosamente. Petrus não se encontra em lado algum. Desesperado, desamarra-as e leva-as para o lado do dique, onde existe relva em abundância.

As ovelhas bebem abundantemente e depois, pachorrentas, começam a pastar. São persas de focinho preto, com o mesmo tamanho, as mesmas manchas, até os mesmos movimentos. Gémeas, provavelmente, destinadas desde o nascimento à faca do carniceiro. Bom, isso nada tem de extraordinário. Quando foi a última vez que uma ovelha morreu de velhice? As ovelhas não são donas de si mesmas, não são donas das suas vidas. Existem para serem utilizadas até ao último pedaço, a sua carne para ser comida, os ossos para serem esmagados e dados a comer às aves de criação. Nada escapa, talvez apenas a vesícula biliar, que ninguém come. Descartes devia ter pensado nisso. A alma, suspensa na escuridão, bílis amarga, escondendo-se.

– Petrus convidou-nos para uma festa – diz ele a Lucy. – Por que motivo vai ele dar uma festa?

– Por causa da transferência de terras, acho eu. É oficializada no dia um do próximo mês. É um grande dia para ele. No mínimo, devíamos aparecer, levar-lhes um presente.

– Vai matar as duas ovelhas. Não me parece que duas ovelhas cheguem para muita coisa.

– Petrus é um unhas de fome. Outrora, seria um boi.

– Acho que não gosto da forma como ele procede: trazer os animais a abater para casa, apresentando-os às pessoas que os vão comer.

– O que preferias? Que o abate fosse efectuado num matadouro, para não teres de pensar no caso?

– Sim.

– Acorda, David. Estás no campo. Estás em África.

Ultimamente Lucy mostra-se irascível e ele não encontra justificação para tal. A sua reacção é ficar em silêncio. Momentos há em que ambos parecem dois desconhecidos na mesma casa.

Tenta convencer-se de que tem de ter paciência, que Lucy ainda vive com o fantasma do ataque, que tem de dar algum tempo até que ela volte a ser a mesma. Mas, e se estiver enganado? E se, após um ataque como aquele, ela nunca mais for a mesma? E se um ataque como aquele a transformar numa pessoa mais melancólica?

Existe uma explicação ainda mais sinistra para o estado de espírito de Lucy, e que ele não consegue afastar da mente. – Lucy – pergunta-lhe nesse mesmo dia, sem mais nem menos – não estás a esconder nada de mim, pois não? Apanhaste alguma coisa com aqueles homens?

Ela encontra-se sentada no sofá, de pijama e robe, enquanto brinca com o gato. Passa do meio-dia. O gato é jovem, alerta, arisco. Lucy balanceia o cinto do robe à frente dele. O gato atira-se ao cinto com golpes rápidos e leves, um-dois-três-quatro-cinco.

– Homens? – exclama. – Que homens? – Atira o cinto para o lado; o gato mergulha atrás dele.

Que homens? O seu coração deixa de bater. Terá enlouquecido? Recusará recordar-se?

Mas, ao que parece, está apenas a provocá-lo. – David, já não sou nenhuma criança. Fui ao médico, fiz testes, fiz tudo o que podia fazer. Agora, só me resta esperar.

– Compreendo. E por *esperar*, queres dizer esperar por aquilo que eu penso?

– Exacto.

– Quanto tempo demorará?

Ela encolhe os ombros. – Um mês. Três meses. Mais. A ciência ainda não estabeleceu um limite para o tempo que é preciso esperar. Para sempre, talvez.

O gato deita as garras ao cinto, mas o jogo já terminou.

Senta-se ao lado da filha; o gato salta do sofá, afasta-se. Ele pega-lhe na mão. Agora que está próximo dela, um ténue odor viciado, a sujidade, apodera-se dele. – Pelo menos não será para sempre, minha querida – diz. – Pelo menos serás poupada a isso.

As ovelhas passam o resto do dia perto do dique onde ele as prendeu. Na manhã seguinte, estão novamente no terreno infecundo ao lado do estábulo.

Presumivelmente, têm até sábado de manhã, dois dias. Parece-lhe uma forma deplorável de passar os últimos dias de vida. À moda do campo – é assim que Lucy chama a este género de coisas. Ele tem outras palavras: indiferença, falta de compaixão. Se o campo pode julgar a cidade, a cidade também pode julgar o campo.

Pensa em comprar as ovelhas a Petrus. Mas de que serviria? Petrus utilizaria o dinheiro para comprar novos animais para abater e ainda teria lucro. E que faria ele com as ovelhas depois de as salvar da escravidão? Soltá-las na via pública? Criá-las nas jaulas dos cães e dar-lhes feno a comer?

Sem saber como, parece ter criado um laço entre ele e as duas persas. Não se trata de um laço de afecto. Nem mesmo de um laço com estas duas em particular, as quais ele não distinguiria no meio de um rebanho. Não obstante, de repente e sem qualquer razão, a sorte delas tornou-se importante para ele.

Permanece em frente delas, debaixo do sol, aguardando que o zunido que tem na cabeça desapareça, aguardando um sinal.

Está uma mosca a tentar entrar para a orelha de uma delas. A orelha dá um safanão. A mosca levanta voo, anda em círculos, regressa, pousa. A orelha dá outro safanão.

Dá um passo em frente. A ovelha recua assustada até onde a corda lhe permite.

Recorda Bev Shaw aconchegando-se ao velho bode com os testículos maltratados, afagando-o, reconfortando-o, penetrando na sua vida. Como consegue ela esta comunhão com os animais? Deve ser alguma capacidade que ele não possui. Talvez tenha de ser de um determinado tipo de pessoas, com menos complicações na vida.

O sol bate-lhe no rosto com todo o seu resplendor primaveril. Terei de mudar?, pensa. Terei de me tornar numa Bev Shaw?

Fala com Lucy. — Estive a pensar sobre esta festa que o Petrus vai dar. Na verdade, eu preferia não ir. Será possível não ir sem parecer mal-educado?

— Essa decisão tem algo a ver com as ovelhas a abater?

— Tem. Não. Não mudei de ideias, se é isso que julgas. Continuo a pensar que os animais não têm propriamente vidas individuais. Na minha opinião, não vale a pena uma pessoa torturar-se, a pensar qual deles sobrevive e qual deles morre. Contudo...

— Contudo?

— Contudo, este caso perturba-me. Não sei dizer porquê.

— Bom, de certeza que o Petrus e os seus convidados não vão prescindir das costeletas de carneiro por respeito a ti e à tua sensibilidade.

– Não peço que o façam. Pura e simplesmente, desta vez, preferia não fazer parte da festa. Lamento. Nunca pensei que acabaria a falar desta maneira.

– São estranhas as vias do Senhor, David.

– Não brinques comigo.

Sábado, dia de mercado, aproxima-se. – Montamos a banca? – pergunta. Ela encolhe os ombros. – Decide tu – responde. Ele não monta a banca.

Não questiona a decisão da filha; para dizer a verdade, sente-se aliviado.

Os preparativos para a festa de Petrus começam no sábado ao meio-dia com a chegada de um grupo de mulheres fortes, que ostentam enfeites religiosos, segundo lhe parece. Acendem uma fogueira por detrás do estábulo. Passado pouco tempo, o vento transporta o odor de vísceras a cozer, pelo que ele depreende que o acto foi consumado, o acto duplo, e que tudo terminou.

Deveria prantear? Será adequado prantear a morte de seres que não praticam o pranto entre eles? No fundo do coração, sente apenas uma vaga tristeza.

Muito perto, pensa: vivemos muito perto do Petrus. É como partilhar uma casa com desconhecidos, partilhando ruídos, partilhando odores.

Bate à porta de Lucy. – Queres ir dar um passeio? – pergunta.

– Obrigada, mas não. Leva a *Katy*.

Ele leva a buldogue, mas ela é tão lenta e birrenta que o desespera, pelo que a manda de regresso para a quinta e parte sozinho para uma caminhada de oito quilómetros, caminhando depressa, tentando estafar-se.

Às cinco horas, os convidados começam a chegar de carro, de táxi e a pé. Observa-os por detrás da cortina da cozinha. São, na sua maioria, da geração do anfitrião, serenos e sólidos.

Chega uma mulher de idade a quem prestam uma atenção especial: de fato azul e camisa de um cor-de-rosa berrante, Petrus vai ao seu encontro para lhe dar as boas-vindas.

Os mais jovens aparecem apenas após o escurecer. A brisa transporta o murmúrio de conversas, risos e música, música essa que ele associa à Joanesburgo da sua juventude. Bastante tolerável, pensa consigo mesmo – bastante alegre, até.

– Está na hora – diz Lucy. – Vens?

Ao contrário do que é habitual, traz um vestido pelo joelho e sapatos de tacão alto, um colar de contas de madeira e brincos a condizer. Ele não tem a certeza de gostar do efeito.

– Está bem, eu vou. Estou pronto.

– Não trouxeste nenhum fato?

– Não.

– Então, pelo menos põe uma gravata.

– Pensei que estávamos no campo.

– Mais uma razão para te arranjares bem. Este é um grande dia na vida do Petrus. – Ela leva uma lanterna minúscula. Sobem o caminho que conduz a casa de Petrus, pai e filha de braço dado, ela iluminando o caminho, ele levando a prenda.

Quando chegam à porta esperam, sorrindo. Não avistam Petrus em parte alguma, mas uma rapariguinha com um vestido festivo aproxima-se e manda-os entrar.

O velho estábulo não tem tecto nem um chão em condições, mas pelo menos tem electricidade. Lâmpadas com quebra-luz e quadros nas paredes (os girassóis de Van Gogh, uma senhora de azul de Tretchikoff, Jane Fonda no seu fato de Barbarella, o Doutor Khumalo a marcar um golo) atenuam a frieza da decoração.

São os únicos brancos. Dança-se ao som do *jazz* africano de antigamente que ele tinha escutado. Olhares curiosos caem sobre ambos, ou talvez apenas sobre as ligaduras.

Lucy conhece algumas das mulheres. Começa as apresentações. Depois Petrus aparece ao lado deles. Não faz o papel do anfitrião zeloso, não lhes oferece uma bebida, mas diz: – Acabaram-se os cães. Já não sou tratador de cães – o que Lucy opta por entender como uma piada; portanto, ao que parece, tudo está bem.

– Trouxemos-te uma coisa – diz Lucy. – Mas talvez seja melhor dá-la à tua mulher. É para a casa.

Petrus chama a mulher, que se encontra na zona da cozinha, se assim se lhe pode chamar. É a primeira vez que ele a vê de perto. É jovem – mais jovem que Lucy – com um rosto mais agradável que bonito, envergonhada, obviamente grávida. Aperta a mão de Lucy, mas não a dele, nem o olha de frente.

Lucy diz algumas palavras em xhosa e oferece-lhe o embrulho. Encontram-se agora à sua volta meia dúzia de curiosos.

– Tens de ver o que é – diz Petrus.

– Sim, vê o que é – diz Lucy.

Cuidadosamente, para não estragar o papel colorido com os bandolins e os raminhos de loureiro, a jovem esposa abre o embrulho. Trata-se de um pano com um desenho ashanti bastante bonito. – Obrigada – murmura em inglês.

– É uma colcha de renda – explica Lucy a Petrus.

– Lucy é a nossa benfeitora – afirma Petrus; e, depois, virando-se para Lucy: – És a nossa benfeitora.

Parece-lhe uma palavra de mau gosto, uma faca de dois gumes, amargando o momento. Mas pode-se culpar Petrus? A linguagem que utiliza com tanta segurança é, se ele soubesse, esgotada, friável, comida por dentro como se por térmitas. Apenas os monossílabos podem ser considerados de confiança e, mesmo assim, nem todos.

O que pode ser feito? Nada que ele, o ex-professor de comunicação, consiga imaginar. Nada além de começar pelo abecê. Quando as palavras compridas começassem a surgir reconstruídas, purificadas, novamente de confiança, ele já há muito que teria morrido.

Estremece, como se alguém lhe passasse por cima da campa.

– O bebé... quando esperam que nasça? – pergunta ele à mulher de Petrus.

Ela olha-o, sem compreender palavra.

– Em Outubro – intervém Petrus. – O bebé deve nascer em Outubro. Esperamos que seja um rapaz.

– Ó! O que têm contra as raparigas?

– Rezamos para que seja um rapaz – diz Petrus. – É sempre melhor se o primeiro for um rapaz. Assim, pode ensinar as irmãs... ensiná-las a comportarem-se. Sim – faz uma pausa. – Uma rapariga fica muito cara. – Esfrega o polegar no indicador. – É sempre dinheiro, dinheiro, dinheiro.

Há já muito tempo que não via este gesto. Utilizado pelos judeus antigamente: dinheiro-dinheiro-dinheiro, com o mesmo erguer significativo da cabeça. Mas o mais certo é Petrus desconhecer esse hábito da tradição europeia.

– Os rapazes também podem ficar caros – afirma, dando o seu contributo para a conversa.

– É preciso comprar-lhes isto, é preciso comprar-lhes aquilo – prossegue Petrus, entrando no seu ritmo, não escutando mais nada. – Hoje em dia, o homem não paga pela mulher. *Eu* pago. – Passa uma mão por cima da cabeça da mulher; ela baixa o rosto, modesta. – *Eu* pago. Mas isso é à moda antiga. Roupas, coisas bonitas, é sempre a mesma coisa: pagar, pagar, pagar. – Repete o gesto de esfregar os dedos. – Não, um rapaz é melhor. Excepto a sua filha. A sua filha é diferente. A sua filha é tão boa como um rapaz. Quase! – ri-se da sua própria piada. – Hem, Lucy!

Lucy sorri, mas ele sabe que está envergonhada. – Vou dançar – murmura, e depois afasta-se.

Dança sozinha numa demonstração de solipcismo que parece estar na moda. Em breve se junta a ela um jovem alto, de membros soltos e roupas antiquadas. Dança em frente dela, fazendo estalar os dedos, lançando-lhe sorrisos, cortejando-a.

Começam a chegar mulheres com travessas cheias de carne grelhada. O ar enche-se de odores apetitosos. Chega um novo contingente de convidados, jovens, barulhentos, alegres, nada antiquados. A festa começa a aquecer.

Chega-lhe à mão um prato de comida. Passa-o a Petrus. – Não – diz Petrus. – É para si. Caso contrário, passamos a noite toda a passar pratos.

Petrus e a mulher passam imenso tempo com ele, fazendo-o sentir-se à vontade. Simpáticos, pensa. Pessoas do campo.

Olha de relance para Lucy. Agora o jovem dança a apenas alguns centímetros dela, levantando as pernas e batendo com os pés, abrindo os braços, divertindo-se.

O prato que lhe deram contém duas costeletas de carneiro, uma batata cozida, uma colher de arroz a nadar em molho e uma fatia de abóbora. Encontra uma cadeira onde se empoleirar e partilha-a com um velhote esquelético de olhos húmidos. Eu vou comer isto, diz consigo mesmo. Eu vou comer isto e a seguir pedir perdão.

Depois Lucy aparece ao seu lado, respirando ofegante, de rosto tenso. – Podemo-nos ir embora? – diz. – Eles estão cá.

– Quem é que está cá?

– Vi um deles nas traseiras, David. Não quero fazer uma tempestade num copo de água, mas podemo-nos ir embora imediatamente?

– Segura aqui. – Passa-lhe o prato para as mãos, dirige-se para a porta dos fundos.

Encontram-se quase tantos convidados no exterior como no interior, apinhados à volta da fogueira, conversando, bebendo, rindo. Do outro lado da fogueira, alguém olha fixamente para ele. Compreende tudo de imediato. Conhece aquele rosto, conhece-o muito bem. Abre caminho por entre as pessoas. *Vou armar confusão,* pensa. *É uma pena ser neste dia. Mas há coisas que não podem esperar.*

Estaca diante do rapaz. É o terceiro, o aprendiz de rosto insensível, o que fugiu do cão. – Eu conheço-te – diz, em tom austero.

O rapaz não parece assustar-se. Pelo contrário, parece ter estado à espera deste momento, parece ter estado a preparar-se. A voz que consegue arrancar da garganta está cheia de raiva. – Quem és tu? – pergunta, mas estas palavras têm outro significado: *Com que direito estás aqui?* Todo o seu corpo irradia confusão.

Depois Petrus aproxima-se, falando xhosa.

Agarra Petrus por uma manga. Petrus liberta-se, lança-lhe um olhar impaciente. – Sabe quem é este? – pergunta David.

– Não, não sei o que isto é – diz Petrus num tom zangado. – Não sei qual é o problema. Qual é o problema?

– Este... este criminoso... já esteve aqui antes, com os seus compinchas. É um deles. Mas *ele* que lhe explique qual é o problema. *Ele* que lhe explique por que razão é procurado pela polícia.

– Isso não é verdade – grita o rapaz. Fala novamente com Petrus, uma torrente de palavras zangadas. A música continua a projectar-se no ar da noite, mas já não está ninguém a dançar: os convidados de Petrus juntam-se em torno deles, empurrando-se, acotovelando-se, soltando exclamações. A atmosfera não é das melhores.

Petrus fala. – Ele afirma que não sabe do que está a falar.

– Está a mentir. Sabe muito bem. A Lucy pode confirmar.

Mas é claro que a Lucy não vai confirmar. Como pode esperar que a Lucy se apresente diante destes desconhecidos, encare o rapaz, aponte um dedo e diga: «Sim, é um deles. Ele é um dos que consumaram o acto?»

– Vou chamar a polícia – diz.

Escuta-se um murmúrio de desaprovação.

– Vou chamar a polícia – repete, voltando-se para Petrus. Petrus tem o rosto inflexível.

No meio do silêncio, volta para dentro, onde Lucy está à espera. – Vamos – diz ele.

Os convidados dão-lhes passagem. Já não têm aquele aspecto prazenteiro. Lucy esqueceu-se da lanterna: perdem-se na escuridão; Lucy tem de descalçar os sapatos; erram por um campo de batatas antes de chegarem a casa.

Tem o telefone na mão, quando Lucy o manda parar. – David, não, não faças isso. O Petrus não tem culpa. Se chamares a polícia, estragas-lhe a noite. Tem dó.

Ele está atónito, suficientemente atónito para fazer frente à filha. – Por amor de Deus, como é que o Petrus não tem culpa? De uma forma ou de outra, foi ele quem trouxe aqueles homens aqui. E agora tem o descaramento de os convidar? Por que razão haveria eu de ter dó? Com franqueza, Lucy, não consigo compreender. Não consigo compreender por que não apresentaste uma queixa real contra eles e agora não consigo compreender por que estás a proteger o Petrus. O Petrus não está inocente, o Petrus é um deles.

– Não me grites, David. Esta é a minha vida. Sou eu que tenho de viver aqui. O que me aconteceu é comigo, apenas comigo, não é contigo e, se tenho algum direito, é o direito de não ser julgada desta forma nem de ter de dar qualquer explicação... nem a ti nem a ninguém. Quanto ao Petrus, ele não é um empregado contratado qualquer a quem possa despedir por achar que anda com más companhias. Isso já passou, e tudo o vento levou. Se queres ter alguma contenda com o Petrus, é bom que tenhas a certeza dos factos. Não podes chamar a polícia. Não permito que o faças. Espera até de manhã. Espera até teres escutado a versão do Petrus.

– Mas entretanto o rapaz desaparece!

– Ele não desaparece. O Petrus conhece-o. Seja como for, ninguém desaparece de Eastern Cape. Não é um sítio desses.

– Lucy, Lucy, suplico-te! Queres compensar os erros passados, mas não é assim que o conseguirás. Se não te consegues impor neste momento, nunca mais conseguirás andar de cabeça erguida. Mais vale fazeres as malas e partir. Quanto à polícia, se tens tantos problemas em chamá-la agora, não sei por que os metemos nisto para começar. Mais valia termos ficado caladinhos à espera do próximo ataque. Ou cortar as próprias gargantas.

– Pára com isso, David! Não tenho de me defender perante ti. *Não sabes o que aconteceu.*

– Não sei?

– Não, começas a não saber. Faz uma pausa e pensa. Quanto à polícia, permite-me que te lembre por que a chamámos em primeiro lugar: por causa do seguro. Apresentámos queixa porque senão a seguradora não pagava.

– Lucy, espantas-me. Isso não é verdade e tu sabe-lo. Quanto ao Petrus, repito: se desistes nesta altura, se falhas, não conseguirás viver contigo mesma. Tens um dever para contigo mesma, para com a tua auto-estima. Deixa-me chamar a polícia. Ou chama-a tu mesma.

– Não.

Não: é esta a última palavra de Lucy. Vai para o quarto, fecha-lhe a porta na cara, deixa-o cá fora. Passo a passo, inexoravelmente como se fossem marido e mulher, começam a afastar-se e não há nada que ele possa fazer. As suas discórdias transformaram-se nas contendas de um casal, presos juntos sem nenhum lugar para onde ir. Como ela deve lamentar o dia em que ele veio viver para cá! Deve desejar que ele parta o mais depressa possível.

Mas também ela terá de partir, a longo prazo. Uma mulher sozinha no campo não tem futuro, isso é óbvio. Até Ettinger, com as suas armas, o arame farpado e os sistemas de alarme, tem os dias contados. Se Lucy tiver juízo, desiste antes que caia sobre ela um destino pior que a morte. Mas é claro que não desiste. É teimosa e está embrenhada na vida que escolheu.

Sai de casa. Caminhando cautelosamente na escuridão, aproxima-se do estábulo pela parte de trás.

A grande fogueira esmoreceu, a música parou. Há um aglomerado de pessoas na porta das traseiras, uma porta suficientemente larga para permitir a passagem de um tractor. Espreita por cima das suas cabeças.

No centro, encontra-se um dos convidados, um homem de meia-idade. Tem a cabeça rapada e o pescoço grosso; veste um fato preto e traz ao pescoço uma corrente de ouro da qual pende uma medalha do tamanho de um punho, como aquelas que os antigos chefes dos clãs escoceses usavam como símbolo de autoridade. Símbolos encontrados a rodos em qualquer fundição em Coventry ou Birmingham; gravados de um lado com a cabeça da rainha Vitória, *regina et imperatrix,* do outro com gnus e íbis exuberantes. Medalhas, chefes de clãs, para uso geral. Enviados do velho Império para todo o mundo: para Nagpur, Fiji, Costa do Ouro, Cafraria.

O homem está a falar, orando em períodos arredondados que sobem e descem. Não faz ideia do que o homem está a dizer mas, de vez em quando, há uma pausa e um murmúrio de aprovação por parte da assistência de novos e velhos, onde parece reinar uma pacífica satisfação.

Olha em volta. O rapaz está ali perto, mesmo ao lado da porta. O olhar do rapaz volta-se nervosamente para ele. Outros olhares seguem-no: voltam-se para o desconhecido, para o estranho que está lá fora. O homem das medalhas faz uma pausa e depois levanta a voz.

Quanto a ele, não se importa de ser o centro das atenções. Que saibam que ainda aqui estou, pensa, que saibam que não estou escondido na casa grande. E, se isso lhes estragar a festa, paciência. Leva uma mão às ligaduras brancas. Pela primeira vez, fica feliz por as ter, por as usar como uma coroa.

16

Lucy evita-o durante toda a manhã do dia seguinte. A reunião que prometeu ter com Petrus não se realiza. Depois, durante a tarde, é Petrus quem aparece na porta das traseiras, atarefado como sempre, de botas e fato-macaco. Chegou o momento de montar os tubos, explica. Quer montar tubos de PVC desde o dique até ao local da sua nova casa, uma distância de duzentos metros. Pede ferramentas emprestadas e ajuda a David para montar o regulador.

– Não percebo nada de reguladores. Não sei nada da arte de canalizador. – Não está com disposição para ajudar Petrus.

– Não se trata da arte de canalizador – diz Petrus. – É só montar os tubos.

A caminho do dique, Petrus fala acerca de vários tipos de reguladores, acerca de válvulas de pressão, acerca de juntas; profere as palavras com algum floreado, demonstrando os seus conhecimentos. O novo tubo terá de atravessar a terra de Lucy, explica; é óptimo que tenha dado autorização. Ela tem «visão de futuro». – É uma senhora com visão de futuro, não é retrógrada.

Acerca da festa, acerca do rapaz dos olhos piscos, Petrus nada diz. É como se nada tivesse acontecido.

O papel de David no dique depressa se torna óbvio. Petrus precisa dele, não para o aconselhar na arte de canalizador ou para colocar tubos, mas sim para segurar em coisas, para lhe chegar ferramentas – na verdade, para ser o seu moço de recados. Trata-se de um papel ao qual ele não se opõe. Petrus é um óptimo trabalhador, observá-lo é uma forma de aprender. Mas é com o próprio Petrus que ele começa a antipatizar. À medida que Petrus relata monotonamente os seus planos, David sente-se cada vez mais indiferente em relação a ele. Não desejaria ser abandonado numa ilha deserta com Petrus. É óbvio que não gostaria de casar com ele. Uma personalidade dominadora. A jovem esposa parece feliz, mas que histórias terá a anterior para contar?

Por fim, quando já não aguenta mais, vai directo ao assunto.

– Petrus – diz –, aquele jovem que estava em sua casa ontem à noite, como se chama e onde está ele neste momento?

Petrus tira o boné, limpa a testa. Hoje traz um boné bicudo com o emblema prateado dos Caminhos de Ferro e Portos de África do Sul. Parece que tem uma enorme colecção de adereços para a cabeça.

– Sabe, David – diz Petrus enrugando a testa. – É grave aquilo que afirma, que aquele rapaz é um ladrão. Ele está muito zangado por lhe chamar ladrão. É isso que ele anda a dizer a toda a gente. E eu, eu é que tenho de manter a paz. Por isso também é grave para mim.

– Não pretendo implicá-lo neste caso, Petrus. Diga-me o nome do rapaz e onde mora, que eu passo a informação à polícia. Depois podemos deixar que a polícia investigue e o leve, assim como aos amigos, perante a justiça. Não será implicado, eu também não, será um assunto para a lei.

Petrus espreguiça-se, banhando o rosto no brilho do sol.
– Mas o seguro vai dar-lhe um carro novo.

É uma pergunta? Uma afirmação? Qual é a jogada de Petrus? – O seguro não vai dar-me um carro novo – explica, tentando não perder a paciência. – Partindo do princípio de que já não está na bancarrota devido a todos os roubos de automóveis neste país, o seguro dar-me-á uma percentagem daquilo que pensa que o meu velho carro valia. Não será o suficiente para comprar um veículo novo. De qualquer forma, é uma questão de princípio. Não são as companhias de seguros que fazem justiça. Não é esse o seu negócio.

– Mas este rapaz não lhe pode devolver o carro. Ele não sabe onde está o seu carro. O seu carro desapareceu. O melhor é comprar outro carro com o dinheiro do seguro e assim já tem carro outra vez.

Como caiu neste beco sem saída? Tenta atacar por outra frente. – Petrus, permita-me que lhe pergunte, esse rapaz é da sua família?

– E por que razão – prossegue Petrus, ignorando a pergunta – pretende levar este rapaz à polícia? Ele é demasiado jovem, não pode ser preso.

– Se tem dezoito anos pode ser julgado. Se tem dezasseis anos pode ser julgado.

– Não, não tem dezoito anos.

– Como sabe? A mim, parece-me ter dezoito anos, parece-me ter mais de dezoito anos.

– Eu sei, eu sei! Ele é apenas um garoto, não pode ir preso, é essa a lei, não se pode mandar um garoto para a prisão, tem de o deixar em paz!

Para Petrus, esta lógica parece sobrepor-se ao argumento. Ajoelha-se pesadamente e começa a tratar da junção do tubo de saída.

– Petrus, a minha filha quer ser uma boa vizinha... uma boa cidadã e uma boa vizinha. Ela adora Eastern Cape. Pretende viver aqui a sua vida, quer dar-se bem com toda a gente. Mas como poderá fazê-lo, quando corre o risco de ser atacada por criminosos que depois continuam impunes? Com certeza compreende!

Petrus esforça-se por encaixar a junta. A pele das suas mãos tem rasgões profundos e ásperos; solta pequenos gemidos enquanto trabalha; parece que não o ouviu.

– A Lucy está em segurança, aqui – declara, de repente. – Está tudo bem. Pode deixá-la, ela está em segurança.

– Mas não está, Petrus! É óbvio que não está em segurança! Sabe o que aconteceu aqui no dia vinte e um.

– Sim, sei o que aconteceu. Mas agora está tudo bem.

– Quem diz que está tudo bem?

– Eu.

– Você? Você vai protegê-la?

– Eu vou protegê-la.

– Não a protegeu da última vez.

Petrus espalha mais massa consistente no tubo.

– Diz que sabe o que aconteceu, mas não a protegeu da última vez – repete. – Foi-se embora, depois apareceram aqueles três criminosos e agora parece que se tornou amigo de um deles. Que conclusão espera que eu tire?

Nunca esteve tão perto de acusar Petrus. E por que não?

– O rapaz não é culpado – diz Petrus. – Não é um criminoso. Não é um gatuno.

– Não estou a falar de roubo. Houve também outro crime, outro crime muito mais grave. Diz que sabe o que aconteceu. Deve saber ao que estou a referir-me.

– Ele não é culpado. É muito jovem. Tudo não passa de um grande erro.

– Então sabe?

– Sei. – O tubo é introduzido. Petrus dobra o grampo, aperta-o, levanta-se e endireita as costas. – Eu sei. Estou a dizer-lhe. Eu sei.

– Sabe. Sabe o que vai acontecer no futuro. O que posso eu dizer? Você pronunciou-se. Precisa mais de mim aqui?

– Não, agora é fácil, agora só tenho de enterrar o tubo.

Apesar da confiança de Petrus nas companhias seguradoras, a sua reclamação não avança. Sem um carro, sente-se encurralado na quinta.

Certa tarde na clínica, abre-se com Bev Shaw. – Eu e a Lucy não nos entendemos – diz. – Não é de admirar, acho eu. Os pais não devem viver com os filhos. Em circunstâncias normais, já me teria ido embora, já teria regressado à Cidade do Cabo. Mas não posso deixar a Lucy sozinha na quinta. Ela não está em segurança. Ando a tentar convencê-la a deixar o negócio nas mãos do Petrus e a tirar umas férias. Mas ela não me dá ouvidos.

– Tem de dar liberdade aos seus filhos, David. Não pode tomar conta da Lucy para sempre.

– Há já muito tempo que dei liberdade à Lucy. Sempre fui um pai pouco protector. Mas esta situação é diferente. A Lucy encontra-se em perigo. Já tivemos provas suficientes.

– Vai correr tudo bem. O Petrus toma conta dela.

– O Petrus? Que interesse tem o Petrus em tomar conta dela?

– Você subestima o Petrus. O Petrus trabalhou como um escravo para conseguir que o negócio do mercado resultasse para a Lucy. Se não fosse o Petrus, ela não chegaria tão longe. Não estou a dizer que ela lhe deva tudo, mas deve-lhe muito.

– Pode até ser. Mas a questão é saber quanto o Petrus lhe deve a ela?

– O Petrus é boa pessoa. Pode confiar-se nele.

– Confiar no Petrus? Só porque o Petrus tem barba, fuma cachimbo e anda com uma bengala, julga que o Petrus é um africano à moda antiga? Mas não é nada disso. O Petrus não é um africano à moda antiga e muito menos boa pessoa. Na minha opinião, o Petrus está ansioso por que a Lucy desista de tudo. Se quer uma prova, basta olhar para o que nos aconteceu, a mim e à Lucy. Pode não ter sido obra do Petrus, mas é óbvio que ele fechou os olhos, é óbvio que não nos avisou, é óbvio que tomou as devidas providências para não se encontrar nas redondezas.

A sua veemência surpreende Bev Shaw. – Pobre Lucy – murmura – passou um mau bocado!

– Eu sei pelo que a Lucy passou. Eu estava lá.

Ela olha-o fixamente de olhos esbugalhados. – Mas você não estava lá, David. Ela disse-me. Não estava lá.

Não estavas lá. Não sabes o que aconteceu. Está perplexo. Segundo Bev Shaw e Lucy onde é que ele não estava? No quarto onde os intrusos cometeram o crime? Será que pensam que ele não sabe o que é uma violação? Será que pensam que ele não sofreu com a filha? O que poderia ele ter testemunhado que não tenha imaginado? Ou pensam que, no que toca a violações, nenhum homem pode estar no lugar de uma mulher? Seja qual for a resposta, sente-se indignado, indignado por ser tratado como um intruso.

Compra um pequeno aparelho de televisão para substituir o que foi roubado. Todas as noites, após o jantar, senta-se ao lado de Lucy no sofá a ver o noticiário e, se ainda tiverem paciência, a ver os programas de entretenimento.

É verdade, na opinião de ambos, a visita já foi longe de mais. Está farto de viver apenas com o conteúdo de uma mala, farto de estar sempre à escuta de passos no caminho. Quer sentar-se novamente à sua secretária, dormir na sua cama. Mas a Cidade do Cabo fica muito longe, quase noutro país. Apesar do conselho de Bev, apesar das afirmações de Petrus, apesar da obstinação de Lucy, não está preparado para abandonar a filha. De momento, é aqui que ele vive: neste tempo, neste local.

Recuperou completamente a visão. O couro cabeludo está a sarar; já não precisa de utilizar a ligadura. Apenas a orelha necessita de cuidados diários. Afinal o tempo sempre cura tudo. Presumivelmente, Lucy também está a sarar, ou então a esquecer, a cicatrizar a memória daquele dia, a guardá-la, a selá-la. De forma a que um dia possa dizer «O dia em que fomos assaltados» e pensar nele apenas como o dia em que foram assaltados.

Tenta passar os dias fora de casa, deixando Lucy à vontade. Trabalha no jardim; quando está cansado senta-se ao pé do dique, observando a família de patos, matutando no projecto Byron.

O projecto está parado. Tudo o que consegue definir são fragmentos. As primeiras palavras do primeiro acto ainda lhe oferecem resistência; as primeiras notas permanecem tão ilusórias como nuvens de fumo. Às vezes receia que as personagens da história, as quais há mais de um ano têm sido seus fantasmagóricos companheiros, comecem a dissipar-se. Até à mais atraente de todas, Margarita Cogni, cujo apaixonado contralto ataca a companheira de Byron, a prostituta Teresa Guiccioli, lhe custa a acreditar, está-se-lhe a escapar. A sua perda desespera-o. Um desespero tão cinzento, impassível e pouco importante como uma dor de cabeça.

Vai à clínica da Liga dos Amigos dos Animais sempre que pode, oferecendo-se para executar todas as tarefas que não exigem qualificações especiais: alimentar os animais, limpar, esfregar.

Os animais que tratam na clínica são sobretudo cães e, menos frequentemente, gatos: quanto ao gado, a *D Village* parece ter os seus próprios conhecimentos, a sua própria farmacopeia, os seus próprios curativos. Os cães que lá são levados padecem de infecções, de patas partidas, de dentadas infeccionadas, de alergias, de negligência, benigna ou maligna, de velhice, de desnutrição, de parasitas intestinais, mas a maioria da sua própria fertilidade. Pura e simplesmente, são em número excessivo. Quando alguém traz um cão não diz de imediato «Trouxe este cão para abater», mas é isso que esperam: prescindem dele, querem fazê-lo desaparecer, enviá-lo para o esquecimento. Na verdade, aquilo que pedem é *Lösung* (é sempre necessário o alemão para lidar com uma abstracção): sublimação, tal como o álcool é sublimado da água, sem deixar resíduo, sem deixar gosto.

Assim, nas tardes de domingo a porta da clínica está fechada e trancada enquanto Bev Shaw *lösen* os caninos supérfluos da semana. Um de cada vez, David vai buscá-los às jaulas nas traseiras e leva-os para a sala. A cada um deles, durante aqueles que serão os seus últimos minutos, Bev presta toda a atenção, afagando-os, falando com eles, facilitando a transição. Se acontece o cão não se deixar enganar, o que é frequente, tal facto deve-se à presença dele: exala o odor errado (*Eles conseguem cheirar aquilo em que estamos a pensar*), o odor da vergonha. Não obstante, é ele quem segura os cães enquanto a agulha procura uma veia, a droga atinge o coração, as pernas afrouxam e os olhos se fecham.

Pensou que se habituaria. Mas não é isso que acontece. A quantos mais abates assiste, mais ansioso se torna. Certa noite de domingo, enquanto regressa a casa no carro de

Lucy, tem mesmo de encostar à berma para se recompor. Correm-lhe lágrimas pelo rosto, que ele não consegue evitar; as mãos tremem-lhe.

Não compreende o que lhe está a acontecer. Até ao momento, sempre foi mais ou menos indiferente em relação aos animais. Embora, de uma forma abstracta, seja contra a crueldade, não consegue saber se a sua natureza é cruel ou bondosa. Pura e simplesmente, não é nada. Pensa que as pessoas a quem é exigida crueldade no cumprimento do dever, pessoas que trabalham em matadouros, por exemplo, criam carapaças na alma. O hábito torna-as mais duras: assim deve ser na maioria dos casos, mas, ao que parece, não no dele. Parece que ele não tem o dom da dureza.

Todo o seu ser é possuído pelo que acontece na sala. Está convencido de que os cães sabem que a sua hora chegou. Apesar de o procedimento ser silencioso e indolor, apesar dos bons pensamentos que Bev Shaw tem e que ele tenta ter, apesar dos sacos herméticos onde colocam os cadáveres recém-abatidos, os cães que permanecem no pátio conseguem farejar o que se passa lá dentro. Baixam as orelhas, metem o rabo entre as pernas, como se também eles sentissem a desgraça da morte; sem moverem as patas, têm de ser arrastados ou empurrados. Em cima da mesa, alguns dão dentadas em todas as direcções, outros ganem em tom de lamento; nenhum olha directamente para a agulha que Bev tem na mão e que eles sabem que, de alguma forma, lhes vai fazer muito mal.

Os piores são aqueles que o cheiram e tentam lamber-lhe a mão. Nunca gostou que o lambessem e o seu primeiro impulso é afastar a mão. Porquê fingir ser amigo deles quando, na verdade, é um assassino? Mas depois compadece-se. Por que haveria uma criatura com a nuvem da morte a pairar-lhe sobre a cabeça, senti-lo afastar-se do seu contacto como se fosse uma aberração? Por isso, deixa-os lambê-lo, se o querem fazer, tal como Bev Shaw os afaga e os beija, se a deixam.

Ele não é, espera, um sentimentalista. Tenta não ser sentimentalista em relação aos animais que mata, ou ser sentimentalista em relação a Bev Shaw. Evita dizer-lhe «Não sei como consegue», para depois não ouvir «Alguém tem de o fazer». Não coloca de parte a possibilidade de Bev Shaw não ser, no fundo, um anjo libertador, mas sim um demónio que, por detrás das suas demonstrações de compaixão, esconde um coração duro como o de um carniceiro. Tenta manter as possibilidades em aberto.

Uma vez que é Bev Shaw quem espeta a agulha, cabe-lhe a ele desfazer-se dos restos mortais. Na manha seguinte a cada sessão de abate, leva a carrinha carregada até às instalações do Settlers Hospital, até ao incinerador, e atira os corpos que se encontram dentro dos sacos pretos para as chamas.

Seria mais simples levar os sacos para o incinerador imediatamente após a sessão e deixá-los lá ficar para o pessoal que ali trabalha lhes dar seguimento. Mas isso significaria deixá-los na lixeira juntamente com o resto do lixo do fim-de-semana: com detritos do hospital, cadáveres atirados para a berma, resíduos pestilentos dos curtumes – uma mistura aleatória e terrível. Não está disposto a submetê-los a tamanha ignomínia.

Por isso, nas noites de domingo, leva os sacos para a quinta na parte de trás da carrinha de Lucy, deixa-os passar lá a noite e, na segunda-feira de manhã, leva-os para as instalações do hospital. Aí chegado, coloca-os ele mesmo, um a um, no carrinho de transporte, acciona o mecanismo que puxa o carrinho através do portão de ferro e o leva em direcção às chamas, puxa a alavanca que esvazia o conteúdo e fá-lo regressar enquanto os trabalhadores que, normalmente têm de executar essa tarefa, o observam.

Na primeira segunda-feira deixou que fossem eles a executar esta operação. O *rigor mortis* havia endurecido os cadáveres durante a noite. As patas sem vida ficaram presas nas barras do carrinho e, quando este regressava da sua viagem à fornalha, frequentemente o cão regressava também, enegrecido e a mostrar os dentes, cheirando a pêlo chamuscado, com a cobertura de plástico queimada. Passado algum tempo, os homens começaram a bater nos sacos com as pás antes de os carregarem, de forma a partirem os membros rígidos. Foi então que ele interveio e tomou a tarefa a seu cargo.

O incinerador trabalha a antracite e tem uma ventoinha eléctrica que suga o ar pelos tubos; calcula que date dos anos cinquenta, altura em que o hospital foi construído. Funciona seis dias por semana, de segunda a sábado. No sétimo dia fecha. Quando a equipa chega para trabalhar, primeiro tem de apanhar a cinza do dia anterior e depois atear o fogo. Por volta das nove da manhã temperaturas na ordem dos cem graus centígrados são geradas na câmara interior, o suficiente para calcinar ossos. O fogo é mantido até ao meio da manhã e demora a tarde inteira a arrefecer.

Não sabe os nomes dos trabalhadores e eles não querem saber o dele. Para eles, ele não passa do homem que começou a aparecer às segundas-feiras com os sacos da Liga dos Amigos dos Animais e, desde então, vem cada vez mais cedo. Vem, faz o que tem a fazer e vai-se embora; não faz parte da sociedade de que o incinerador é parte fulcral, apesar da rede de arame, do portão com o cadeado e do aviso em três línguas.

A rede há muito foi cortada; o portão e o aviso, pura e simplesmente, são ignorados. Quando os auxiliares chegam de manhã com os primeiros sacos de detritos hospitalares, juntam-se já inúmeras mulheres e crianças à espera para procurarem seringas, alfinetes, ligaduras laváveis, tudo aquilo para o que há mercado, mas, principalmente, comprimidos, os quais são vendidos nas lojas de feitiçaria, as *muti*, ou nas ruas. Há também vagabundos, que vagueiam pelo recinto do hospital durante o dia e, de noite, dormem encostados à parede do incinerador, ou até mesmo lá dentro, por causa do calor.

Não é irmandade a que ele queira juntar-se. Mas, quando ele está lá, eles estão lá; e se o que ele leva para a lixeira não lhes interessa, é apenas porque os restos de um cão morto não podem ser vendidos nem comidos.

Por que aceitou este trabalho? Para diminuir o fardo de Bev Shaw? Se fosse só isso, bastaria deitar os sacos na lixeira e ir-se embora. Por causa dos cães? Mas os cães estão mortos; e, além disso, o que sabem os cães acerca de honra e desonra?

Então é por causa dele mesmo. Por causa da sua ideia do mundo, um mundo onde os homens não utilizam pás para colocarem cadáveres numa posição mais conveniente para o processamento.

Os cães são levados para a clínica, porque não são desejados: *porque somos de mais*. É aí que ele entra nas suas vidas. Pode não ser o seu salvador, aquele para quem eles não são de mais, mas está preparado para tomar conta deles a partir do momento em que eles não conseguem tomar conta de si mesmos, a partir do momento em que a própria Bev Shaw se descartou deles. Tratador de cães, apelidou-se Petrus certa vez. Bom, agora ele é tratador de cães: coveiro de cães; prestador de serviços funerários a cães; um *harijan*.

Não deixa de ser curioso que um homem egoísta como ele se tenha oferecido para tratar de cães mortos. Deve haver outras formas mais produtivas de uma pessoa se entregar ao mundo, ou a uma ideia do mundo. Por exemplo, podia trabalhar mais horas na clínica. Podia tentar persuadir as crianças que andam na lixeira a não encherem os corpos de veneno. Até mesmo sentar-se e dedicar-se mais objectivamente ao libreto de Byron poderia ser considerado um serviço à humanidade.

Mas há outras pessoas para o fazerem – aquilo dos amigos dos animais, aquilo da reabilitação social, até mesmo aquilo de Byron. Ele salva a honra de cadáveres, porque não há mais ninguém suficientemente estúpido para o fazer. É nisso que ele se está a transformar: num estúpido, num idiota, num desatinado.

17

O trabalho na clínica termina por aquele domingo. A carrinha está carregada com aquela carga sem vida. Para terminar, está a esfregar o chão da sala de operações.

– Eu faço isso – diz Bev Shaw, quando chega do pátio. – Deve querer ir para casa.

– Não tenho pressa.

– De qualquer maneira, deve estar habituado a outro género de vida.

– Outro género de vida? Não sabia que as vidas tinham género.

– Quero dizer, deve achar que a vida aqui é muito aborrecida. Deve sentir a falta do seu círculo de amigos. Deve sentir a falta de mulheres.

– Mulheres, diz você. Tenho a certeza de que a Lucy lhe disse por que razão deixei a Cidade do Cabo. Não tive muita sorte com as mulheres na Cidade do Cabo.

– Não deve ser demasiado duro com ela.

– Duro com a Lucy? Não é meu hábito ser duro com a Lucy.

– Não me refiro à Lucy. Refiro-me à rapariga da Cidade do Cabo. A Lucy disse-me que houve uma rapariga que lhe causou imensos problemas.

– Sim, houve uma rapariga. Mas eu é que causei os problemas. Causei pelo menos tantos problemas à rapariga em questão como ela a mim.

– A Lucy disse-me que teve de abandonar o seu posto na universidade. Deve ter sido difícil. Não está arrependido?

Que intrometida! É curioso como o cheiro a escândalo excita as mulheres. Será que esta criaturinha horrorosa acha que ele não consegue chocá-la? Ou ficar chocada será outra das tarefas que ela toma a seu cargo – tal como uma freira que se deita para ser violada de forma a reduzir a percentagem de violações no mundo?

– Se estou arrependido? Não sei. O que aconteceu na Cidade do Cabo trouxe-me para aqui. Não sou infeliz aqui.

– Mas naquele momento... arrependeu-se naquele momento?

– Naquele momento? Refere-se ao auge do acto? É claro que não. No auge do acto não existem dúvidas. Tenho a certeza que sabe disso.

Ela cora. Há já muito tempo que não via uma mulher de meia-idade corar assim. Até às raízes dos cabelos.

– Contudo, deve achar Grahamstown muito calma – murmura. – Em comparação.

– Não desgosto de Grahamstown. Pelo menos estou longe das tentações. Além disso, não vivo em Grahamstown. Vivo numa quinta com a minha filha.

Longe das tentações: que coisa tão insensível para se dizer a uma mulher, mesmo a uma mulher feia. Contudo, não aos olhos de todos. Um tempo deve ter existido em que Bill Shaw viu algo na jovem Bev. Talvez também outros homens.

Tenta imaginá-la vinte anos mais nova, quando aquele rosto enterrado no pescoço curto deve ter tido um ar atrevido e a pele sardenta deve ter sido atraente, saudável. Num impulso, passa-lhe um dedo nos lábios.

Ela baixa os olhos, mas não se mexe. Pelo contrário, responde, roçando os lábios na mão dele – pode mesmo dizer-se, beijando-a – sem deixar de ruborizar.

É tudo o que acontece. Só vão até aí. Sem proferir outra palavra, ele sai da clínica. Ouve-a a apagar as luzes atrás dele.

Na tarde do dia seguinte ela telefona-lhe. – Podemos encontrar-nos na clínica, às quatro – diz. Não é uma pergunta, antes uma afirmação efectuada numa voz alta e esforçada. Ele quase pergunta «Porquê?», mas tem o bom senso de não o fazer. Não obstante, está surpreso. Era capaz de apostar que ela nunca fez nada disto. Deve ser assim que ela, na sua inocência, pensa que os adultérios acontecem: com a mulher a telefonar ao seu pretendente, declarando-se pronta.

A clínica não abre aos domingos. Entra e fecha a porta à chave. Bev Shaw está na sala de operações, de costas voltadas para ele. Ele abraça-a; ela encosta a orelha ao queixo dele; os seus lábios roçam os pequenos caracóis do cabelo dela. – Há cobertores – diz ela. – No armário. Na prateleira de baixo.

Dois cobertores, um rosa e um cinzento, trazidos às escondidas de casa por uma mulher que, provavelmente durante a última hora, tomou banho, se pintou e se untou com cremes; uma mulher que, tanto quanto sabe, tem vindo a pintar-se e a untar-se todos os domingos e a guardar cobertores no armário, para o caso de a coisa se proporcionar. Uma mulher que pensa que – só porque ele vem da grande cidade, só porque ele está envolvido num escândalo – faz amor com muitas mulheres e espera fazer amor com todas as mulheres que se cruzem no seu caminho.

Tem de optar entre a mesa de operações e o chão. Abre os cobertores no chão, o cinzento por baixo, o cor-de-rosa por cima. Apaga a luz, sai da sala, verifica se a porta das traseiras está fechada à chave e espera. Ouve o som de roupas a serem despidas. Bev. Nunca lhe passou pela cabeça que acabaria por ir para a cama com uma Bev.

Ela está deitada por debaixo do cobertor apenas com a cabeça de fora. Mesmo na penumbra, aquilo não tem nada de atraente. Tira as cuecas, deita-se ao lado dela, passa as mãos pelo corpo dela. Pode dizer-se que não tem seios. É musculosa, quase não tem cinta, é como uma barrica atarracada.

Ela pega-lhe na mão e dá-lhe algo. Um contraceptivo. Tudo pensado com antecedência, do princípio ao fim.

Do encontro, pode dizer-se que ele cumpriu a sua parte. Sem paixão, mas também sem desgostar. O suficiente para que, no fim, Bev Shaw se sinta bem consigo mesma. Conseguiu tudo o que pretendia. Ele, David Lurie, fora socorrido, da forma como um homem é socorrido por uma mulher; e ela ajudara a sua amiga Lucy Lurie a entreter um visitante difícil.

Não posso esquecer este dia, pensa ele, deitado ao lado dela, os dois extenuados. Depois da carne jovem e doce de Melanie Isaacs, é a isto que eu venho parar. É a isto que tenho de começar a habituar-me, a isto e a pior.

– É tarde – diz Bev Shaw. – Tenho de ir.

Atira com o cobertor e levanta-se, não fazendo qualquer esforço para se tapar. Que o olhar dela se sacie com o seu Romeu, pensa, com os seus ombros arqueados e as suas canelas descarnadas. De facto, é tarde. No horizonte permanece um último brilho carmesim; a lua assoma-se mais à frente; fumo paira no ar; do outro lado de uma clareira, das primeiras fileiras de choupanas, chega um burburinho de vozes. À porta, Bev abraça-o uma última vez e encosta a cabeça ao peito dele. Ele deixa-a, assim como a deixou fazer tudo o que sentiu necessidade de fazer. Os seus pensamentos recaem em Emma Bovary pavoneando-se frente ao espelho depois da sua primeira tarde. *Tenho um amante! Tenho um amante!* canta Emma. Bom, que a pobre Bev Shaw vá para casa também a cantar. E ele que deixe de lhe chamar pobre Bev Shaw. Se ela é pobre, ele está completamente falido.

18

Petrus pediu um tractor emprestado, a quem, ele não sabe, ao qual atrelou o velho arado rotativo que estava a apodrecer atrás do estábulo já antes do tempo de Lucy. Em poucas horas lavrou toda a sua terra. Tudo muito rápido e eficaz; tudo muito pouco típico de África. Antigamente, ou seja, há uns dez anos atrás, demoraria dias com um arado artesanal puxado por bois.

Que hipóteses tem Lucy contra este novo Petrus? Petrus chegou como o homem que cavava, o homem que transportava, o homem que regava. Mas agora anda atarefado de mais para essas coisas. Onde irá Lucy encontrar alguém para cavar, transportar coisas e regar? Se se tratasse de um jogo de xadrez, poder-se-ia dizer que ela ficou com todas as frentes tapadas. Se tivesse juízo desistia: ia ao Land Bank, tentava chegar a algum acordo, deixaria a quinta ao cuidado de Petrus, regressaria à civilização. Podia abrir um canil nos subúrbios; podia alargar o negócio e alojar gatos. Podia até voltar a fazer o que fazia com os amigos *hippies:* tecelagem étnica, decoração étnica de louça, cestaria étnica; vender camas a turistas.

Derrotada. Não é difícil imaginar Lucy daqui a dez anos: uma mulher pesada, com traços de tristeza no rosto, vestindo roupas fora de moda, a falar com os animais de estimação, a comer sozinha. Não será uma vida lá muito boa. Mas será melhor do que passar os dias com medo do próximo ataque, em que os cães não a poderão proteger e ninguém atenderá o telefone.

Aproxima-se de Petrus, que se encontra no local escolhido para a sua nova casa, num pequeno outeiro com vista para a casa da quinta. O inspector já veio, as estacas já estão colocadas.

– Não vai construir a casa sozinho, pois não? – pergunta.

Petrus ri-se. – Não, a construção é um trabalho qualificado – responde. – Assentar tijolo, deitar a massa, tudo isso, é preciso ser-se qualificado. Não, eu só vou abrir as fundações. Isso posso fazer sozinho. Não é um trabalho muito qualificado, é um trabalho para qualquer moço. Para escavar, basta ser moço.

Petrus profere a palavra com genuíno divertimento. Em tempos foi moço, agora já não é. Agora pode brincar aos moços, como Maria Antonieta brincava às moças de lavoura.

Vai directo ao assunto. – Se eu e a Lucy regressássemos à Cidade do Cabo, conseguiria tratar da parte da Lucy aqui na quinta? Nós pagar-lhe-íamos um ordenado ou uma percentagem dos lucros.

– Tenho de tratar da quinta da Lucy – diz Petrus. – Tenho de ser o *gestor da quinta.* – Pronuncia estas palavras como se nunca as tivesse escutado antes, como se elas lhe tivessem saltado para a frente como um coelho de um chapéu.

– Sim, podíamos chamar-lhe gestor da quinta, se quisesse.

– E a Lucy voltará um dia.

– Tenho a certeza que sim. Ela gosta muito desta quinta. Não quer abandoná-la. Mas, ultimamente, tem passado um mau bocado. Precisa de descansar. De tirar umas férias.

– Ao pé do mar – diz Petrus e sorri, mostrando uns dentes amarelecidos pelo fumo do tabaco.

– Sim, ao pé do mar, se ela quiser. – Irrita-o este hábito de Petrus de deixar as palavras a pairar. Em tempos pensou que gostaria de ser amigo de Petrus. Agora detesta-o. Falar com Petrus é como dar murros num saco cheio de areia. – Acho que nenhum de nós pode questionar Lucy se ela decidir tirar umas férias – diz. – Nenhum de nós.

– Durante quanto tempo terei de ser gestor da quinta?

– Ainda não sei, Petrus. Ainda não falei sobre isso com a Lucy, estou apenas a considerar a hipótese, a ver se está de acordo.

– E tenho de fazer tudo... tenho de alimentar os cães, plantar os legumes, ir ao mercado...

– Petrus, não é preciso fazer uma lista. Não vai haver cães. Estou apenas a falar-lhe em termos gerais. Se, caso a Lucy tirasse umas férias, estaria disposto a tomar conta da quinta?

– Como posso ir ao mercado sem a carrinha?

– Isso é um pormenor. Podemos tratar dos pormenores mais tarde. Pretendo apenas uma resposta geral, sim ou não.

Petrus abana a cabeça. – É muita coisa, é muita coisa – diz ele.

Sem nada o fazer prever, recebe um telefonema da polícia, de um tal Sargento Detective Esterhuyse, de Port Elizabeth. O carro foi recuperado. Encontra-se no parque da esquadra de New Brighton, onde pode ser identificado e reclamado. Dois homens foram detidos.

– Isso é fantástico – diz. – Quase tinha perdido a esperança.

– Não, senhor, o processo fica aberto durante dois meses.

– Em que estado está o carro? Pode circular?

– Sim, pode conduzi-lo.

Num estado de exaltação que até então desconhecia, vai com Lucy a Port Elizabeth e depois a New Brighton, onde lhes indicam a Van Deventer Street, uma esquadra de polícia parecida com uma fortaleza, rodeada por uma cerca com dois metros de altura encimada por arame farpado. Avisos expressivos proíbem o estacionamento em frente à esquadra. Estacionam ao fundo da rua.

– Eu espero no carro – diz Lucy.

– Tens a certeza?

– Não gosto deste local. Eu espero.

Dirige-se ao balcão de acusações, indicam-lhe o caminho para a Unidade de Furtos de Automóveis, através de um labirinto de corredores. O Sargento Detective Esterhuyse, um homem pequeno e roliço, procura nos arquivos, depois condu-lo até um parque onde estão estacionados, pára-choques com pára-choques, milhares de automóveis. Sobem e descem as fileiras.

– Onde o encontraram? – pergunta a Esterhuyse.

– Aqui em New Brighton. Teve muita sorte. Geralmente, os *Corolla* mais antigos são desmontados e vendidos para peças.

– Disse-me que foram efectuadas detenções.

– Dois tipos. Recebemos uma informação. Encontrámos uma casa cheia de objectos roubados. Aparelhos de televisão, vídeos, frigoríficos, havia de tudo.

– Onde estão os tipos?

– Saíram em liberdade condicional.

– Não teria sido mais racional chamarem-me para os identificar antes de os mandarem em liberdade? Agora que estão em liberdade condicional, nunca mais aparecem. Sabe-o muito bem.

O detective mantém-se em silêncio.

Param em frente a um *Corolla* branco. – Este não é o meu carro – diz. – A matrícula do meu carro é CA. Está no processo. – Aponta para o número que consta na folha: CA 507644.

– Eles pintam-nos. Põem matrículas falsas. Trocam as matrículas.

– Mesmo assim, este não é o meu carro. Pode abri-lo?

O detective abre a porta do carro. O interior cheira a jornais húmidos e a galinha frita.

– Eu não tenho rádio – diz. – Não é o meu carro. Tem a certeza de que o meu carro não está para aí noutro sítio?

Procuram por todo o lado. O carro não se encontra lá. Esterhuyse coça a cabeça. – Vou verificar – diz. – Deve ter havido alguma confusão. Deixe-me o seu número de telefone, que eu ligo-lhe.

Lucy está sentada ao volante da carrinha, de olhos fechados. Ele bate na janela e ela destranca a porta. – Foi tudo um engano – diz, ao entrar. – Têm um *Corolla*, mas não é o meu.

– Viste os homens?

– Os homens?

– Disseste que prenderam dois homens.

– Já saíram em liberdade condicional. De qualquer forma, não é o meu carro. Por isso, os que foram presos não foram os que levaram o meu carro.

Segue-se um longo silêncio. – Uma coisa não tem nada a ver com a outra – diz ela.

Lucy põe o motor a trabalhar, dá um abanão ao volante.

– Não sabia que estavas assim tão interessada em que eles fossem presos – diz ele. Consegue escutar a irritação na sua voz, mas nada faz para a ocultar. – Se eles forem presos, terão de ser julgados e isso implica muita coisa. Terás de testemunhar. Estás preparada para isso?

Lucy desliga o motor. O seu rosto está rígido enquanto limpa as lágrimas.

– Seja como for, o rasto está frio. Os nossos amigos não vão ser apanhados, pelo menos com a polícia a trabalhar assim. Por isso, o melhor é esquecer o caso.

Recompõe-se. Está a tornar-se um resmungão, um chato, mas, quanto a isso, não há nada a fazer. – Lucy, é mesmo altura de encarares as opções que tens. Ou ficas numa casa cheia de más recordações e continuas a matutar no que te aconteceu, ou esqueces o episódio e começas um novo capítulo noutro sítio qualquer. Na minha opinião, são essas as alternativas. Sei que gostarias de ficar, mas não deverias pelo menos considerar a outra alternativa? Será que podemos conversar racionalmente?

Ela abana a cabeça. – Não posso falar mais, David, pura e simplesmente, não posso – diz ela falando suavemente, rapidamente, como se receando que as palavras sequem. – Sei que não estou a ser clara. Gostava de poder explicar. Mas não posso. Por seres quem és e eu ser quem sou, não posso. Lamento. E lamento o carro não ter aparecido. Lamento a desilusão.

Pousa a cabeça nos braços; os ombros elevam-se enquanto ela se vai abaixo.

Aquele sentimento volta a apoderar-se dele: falta de vontade, indiferença, mas também uma sensação de leveza, como se tivesse sido comido por dentro e apenas sobrasse a carcaça carcomida do seu coração. Como pode, pensa consigo mesmo, um homem neste estado encontrar palavras, encontrar música capaz de ressuscitar os mortos?

Sentada no passeio a apenas alguns metros deles uma mulher de chinelos e vestido rasgado olha-os com um ar aterrador. Pousa uma mão protectora no ombro de Lucy. *Minha filha,* pensa; *minha querida filha. Que eu tenho de guiar. Que, um destes dias, terá de me guiar a mim.*

Conseguirá ela cheirar os seus pensamentos?

É ele quem tem de pegar no volante. A meio caminho de casa Lucy, para surpresa sua começa a falar. – Foi tão pessoal – diz. – Aquilo foi feito com um ódio tão pessoal. Foi o que me chocou mais do que tudo. O resto era... esperado. Mas por que me odiavam tanto? Eu nunca os tinha visto mais gordos.

Ele fica à espera que ela prossiga, mas ela não prossegue, para já. – Foi a história que falou através deles – afirma, por fim. – Uma história de maldade. Pensa no caso assim, se te ajudar. Pode ter parecido pessoal, mas não foi. Eram os antepassados a falar.

– Isso não torna a coisa mais fácil. O choque, pura e simplesmente, não desaparece. Quero dizer, o choque de se ser odiada. No acto.

No acto. Quererá ela dizer aquilo que ele pensa?

– Ainda tens medo? – pergunta ele.

– Sim.

– Medo de que eles regressem?

– Sim.

– Pensaste que, se não apresentasses queixa à polícia, eles não voltariam? Foi isso que pensaste?

– Não.

– Então?

Lucy permanece em silêncio.

– Lucy, isto podia ser tão simples. Fecha os canis. Imediatamente. Tranca a casa, paga ao Petrus para tomar conta dela. Faz uma pausa de seis meses ou um ano, até que as coisas melhorem neste país. Faz uma viagem. Vai à Holanda, Eu pago. Quando regressares podes criar gado, começar de novo.

– Se eu partir agora, David, nunca mais volto. Obrigada pela oferta, mas não ia resultar. Não há nada que possas sugerir que eu ainda não tenha pensado umas centenas de vezes.

– Então, qual é a tua proposta?

– Não sei. Mas seja qual for a decisão, quero ser eu a tomá-la, sem ser pressionada. Há coisas que tu não compreendes.

– O que é que eu não compreendo?

– Para começar, não compreendes o que me aconteceu naquele dia. Estás preocupado comigo, o que eu agradeço, pensas que compreendes, mas não compreendes nada. Porque não podes compreender.

Ele abranda e encosta à berma. – Não – diz Lucy. – Não pares aqui. É muito perigoso parar aqui.

Ele ganha velocidade. – Pelo contrário, compreendo tudo muito bem – diz. – Vou dizer a palavra que tens vindo a evitar até agora. Foste violada. Uma violação múltipla. Efectuada por três homens.

– E?

– Receaste pela tua vida. Tiveste medo de que, depois de teres sido usada, te matassem. Te liquidassem. Porque não significavas nada para eles.

– E? – A voz dela é agora um murmúrio.

– E eu não fiz nada. Não te salvei.

É a sua confissão.

Ela faz um trejeito impaciente com a mão. – A culpa não é tua, David. Ninguém esperava que me salvasses. Se tivessem vindo uma semana antes, eu estaria sozinha em casa. Mas tens razão, eu não signifiquei nada para eles, nada. Consegui senti-lo.

Segue-se uma pausa. – Acho que já o tinham feito antes – prossegue, agora com a voz mais firme. – Pelo menos os dois mais velhos já o fizeram. Acho que, acima de tudo, são violadores. O roubo é apenas acidental. Secundário. Eu acho que o que eles *fazem* são violações.

– Achas que regressarão?

– Acho que estou no território deles. Marcaram-me. Regressarão por minha causa.

– Então não podes mesmo ficar.

– Por que não?

– Porque isso seria como fazer-lhes um convite.

Ela pensa durante um bom bocado antes de responder.

– Mas não haverá uma outra perspectiva, David? E se... e se for *esse* o preço que tenho de pagar para cá ficar? Talvez seja essa a perspectiva deles; talvez também seja essa a perspectiva que eu tenho de adoptar. Eles acham que eu devo alguma coisa. Consideram-se cobradores de dívidas, cobradores de impostos. Por que haveriam de me deixar viver aqui sem pagar? Talvez seja isso que eles pensam.

– Estou certo de que pensam muitas coisas. Interessa--lhes inventar histórias para justificar o que fazem. Mas confia nos teus sentimentos. Dizes que te sentiste odiada por eles.

– Odiada... No que diz respeito aos homens e ao sexo, David, já nada me surpreende. Para os homens, talvez odiar a mulher torne o sexo mais excitante. Tu és homem, deves saber. Quando tens relações com alguma desconhe-cida – quando a agarras, quando a prendes, quando a pões debaixo de ti, quando pões todo o teu peso em cima dela... não é um pouco como matar? Espetar a faca, e depois tirá-la, deixando o corpo para trás coberto de san-gue... não te parece um assassínio, não te parece que con-seguiste escapar impune a um assassínio?

Tu és homem, deves saber: alguém fala assim com o pró-prio pai? Estarão ambos do mesmo lado?

– Talvez – diz ele. – Às vezes. Para alguns homens. – E depois, rapidamente, sem ponderar: – Foi igual com os dois? Como lutar contra a morte?

– Eles incitam-se um ao outro. Provavelmente, é por isso que o fazem juntos. Como cães numa matilha.

– E o terceiro, o rapaz?

– Estava ali para aprender.

Passaram o sinal das Cicádias. O tempo está quase a esgotar-se.

– Se eles fossem brancos não falavas assim – diz. – Se fossem meliantes brancos de Despatch, por exemplo.

– Achas que não?

– Acho, acho que não. Não te estou a repreender, a questão não é essa. Mas estás a falar-me de algo novo. Escravatura. Eles querem que sejas escrava deles.

– Não é escravatura. É submissão. Subjugação.

Ele abana a cabeça. – Isso é de mais, Lucy. Vende a casa. Vende a quinta ao Petrus e sai daqui.

– Não.

A conversa fica por aqui. Mas as palavras de Lucy ecoam-lhe na cabeça. *Coberto de sangue.* O que quererá ela dizer? Afinal de contas, ele teria razão quando sonhou com uma cama cheia de sangue, com um banho de sangue?

O que eles fazem são violações. Pensa nos três visitantes afastando-se no *Toyota* não-muito-antigo, com o banco de trás cheio de objectos roubados, com os seus pénis, as suas armas, aconchegados e satisfeitos entre as pernas – *ronronando* é a palavra que lhe vem à cabeça. Tinham todas as razões para estarem satisfeitos com o trabalho daquela tarde; devem ter-se sentido felizes com a sua ocupação.

Recorda-se de, em criança, investigar a palavra *violação* em notícias dos jornais, tentando descortinar o que queria dizer exactamente, imaginando o que a letra *l*, geralmente tão suave, estaria a fazer no meio de uma palavra tão horrível que ninguém a proferia em voz alta. Num livro sobre arte que estava na biblioteca havia uma pintura chamada *A Violação das Sabinas*: homens montados a cavalo com armaduras romanas, mulheres com véus e braços voltados para os céus, pranteando. O que tinha todo este cenário a ver com o que ele suspeitava que era uma violação: o homem deitado em cima da mulher, entrando por ela dentro?

Pensa em Byron. Entre as legiões de condessas e criadas de cozinha dentro das quais Byron entrou, houve sem dúvida algumas que se consideram violadas. Mas de certeza que nenhuma receou que a sessão terminasse com as goelas cortadas. Na posição em que se encontra, na posição em que Lucy se encontra, Byron parece mesmo antiquado.

Lucy teve medo, um medo de morte. Faltou-lhe a voz, não conseguiu respirar, ficou com os membros paralisados. *Isto não está a acontecer,* disse consigo mesma enquanto os homens a obrigavam a deitar-se; *não passa de um sonho, de um pesadelo.* Enquanto os homens, por seu turno, sorviam o seu medo, se regozijavam com ele e faziam o que podiam para a magoar, para a ameaçar, para aumentar o seu terror. *Chama os teus cães!* Disseram-lhe. *Vá lá, chama os teus cães! Não há cães? Eu mostro-te os cães!*

Não compreende, não estava lá, diz Bev Shaw. Bom, ela está enganada. Afinal de contas, a intuição de Lucy está certa: ele compreende; consegue-o, se se concentrar, se libertar o espírito, consegue estar lá, consegue ser os homens, habitá-los, preenchê-los com o fantasma de si mesmo. A questão é saber se consegue colocar-se no lugar da mulher?

Na solidão do seu quarto escreve uma carta à filha:

«Querida Lucy, Com todo o amor do mundo, devo dizer-te o seguinte. Estás prestes a cometer um erro perigosíssimo. Queres humilhar-te perante a história. Mas estás a seguir o caminho errado. Despojar-te-á de toda a dignidade; não conseguirás viver contigo mesma. Rogo-te, ouve o que te digo.

O teu pai».

Meia hora depois metem-lhe um envelope por debaixo da porta. «Querido David, Não tens ouvido o que eu digo. Eu não sou a pessoa que tu conheces. Sou uma pessoa morta e ainda não sei o que me fará ressuscitar. Tudo o que sei é que não posso ir-me embora.

Não consegues compreender isto e eu não sei que mais possa fazer para que compreendas. É como se tivesses optado deliberadamente por te sentares num canto onde não chegam os raios do sol. Eu penso em ti como um dos três chimpanzés, aquele que tapa os olhos com as mãos.

Sim, posso estar a seguir pelo caminho errado. Mas se eu sair da quinta neste momento, sairei derrotada e terei de viver com essa derrota para o resto da vida.

Não posso ser uma criança para sempre. Tu não podes ser um pai para sempre. Sei que tens boas intenções, mas não és o guia de que eu necessito, não neste momento. Lucy».

É isto que dizem um ao outro; é a última palavra de Lucy.

O abate de cães terminou por este dia, os sacos pretos estão empilhados no chão, cada um com um corpo e uma alma lá dentro. Ele e Bev Shaw estão abraçados no chão da sala de operações. Dentro de meia hora Bev regressará para junto do seu Bill e ele começará a carregar os sacos.

– Nunca me falou da sua primeira mulher – diz Bev Shaw. – Lucy também nunca fala dela.

– A mãe da Lucy era holandesa. Ela deve ter-lhe dito isso. Evelina. Evie. Depois do divórcio regressou à Holanda. Mais tarde, casou novamente. A Lucy não se deu bem com o padrasto. Pediu para regressar a África.

– Então, escolheu-o a si.

– De certa forma. Escolheu também um certo meio, um certo horizonte. Agora estou a tentar fazer com que parta novamente, ainda que por pouco tempo. Ela tem família e amigos na Holanda. A Holanda pode não ser o sítio mais excitante para se viver, mas pelo menos não alimenta pesadelos.

– E?

Encolhe os ombros. – A Lucy não está para aí virada, para já. Para aceitar os meus conselhos. Diz que não sou um bom guia.

– Mas era professor.

– Mas apenas por acaso. O ensino nunca foi uma vocação. E com certeza que nunca desejei ensinar às pessoas como viverem as suas vidas. Eu era aquilo a que chamavam um erudito. Escrevia livros acerca de pessoas que já morreram. Disso é que eu gostava. Dava aulas apenas para ganhar a vida.

Bev Shaw fica à espera de mais, mas ele não está disposto a continuar.

O Sol está a pôr-se e começa a arrefecer. Não fizeram amor; na verdade, deixaram de fazer de conta que é isso que fazem juntos.

Na sua cabeça Byron, sozinho em palco, enche os pulmões de ar para cantar. Está prestes a partir para a Grécia. Com trinta e cinco anos de idade começou a compreender que a vida é algo de muito precioso.

Sunt lacrimae rerum, et mentem mortalia tangunt: Serão estas as palavras de Byron, está certo quanto a isso. Quanto à música, paira algures no horizonte, ainda não chegou.

– Não se preocupe – diz Bev Shaw. Tem a cabeça pousada no peito dele: presumivelmente consegue escutar o seu coração, cujo bater acompanha o hexâmetro. – O Bill e eu tomaremos conta dela. Iremos várias vezes à quinta. E está lá o Petrus. O Petrus olhará por ela.

– O paternal Petrus.

– Sim.

– A Lucy diz que eu não posso ser pai para sempre. Não me consigo imaginar nesta vida sem ser o pai de Lucy.

Ela passa-lhe a mão pelo cabelo. – Vai correr tudo bem – murmura. – Vai ver.

19

A casa faz parte de uma urbanização que, há quinze ou vinte anos, quando era nova, deve ter parecido bastante desolada. Mas desde então tem sido melhorada com passeios relvados, árvores e trepadeiras que sobem pelas paredes de cimento armado. O número 8 de Rustholme Crescent tem um portão pintado que dá para o jardim e um intercomunicador.

Carrega no botão da campainha. Uma voz jovem responde: – Sim?

– Procuro Mr. Isaacs. O meu nome é Lurie.

– Ainda não chegou.

– Quando estará em casa?

– Entre. – Um zunido; o portão abre-se; empurra-o.

O caminho vai dar à porta da frente, onde uma rapariga magra o observa. Traz vestido um uniforme escolar: fato azul-marinho, meias brancas pelos joelhos, camisa aberta no pescoço. Tem os olhos de Melanie, os maxilares largos de Melanie, o cabelo escuro de Melanie; é ainda mais bonita. A irmã mais nova de que Melanie falou, de cujo nome ele não consegue lembrar-se.

– Boa tarde. Quando acha que o seu pai chega a casa?

– A escola termina às três, mas ele costuma ficar até mais tarde. Não há problema, pode esperar por ele cá dentro.

A irmã de Melanie mantém a porta aberta e encosta-se à parede enquanto ele passa. Está a comer uma fatia de bolo, que segura com graciosidade entre dois dedos. Tem migalhas no lábio superior. Ele sente o impulso de estender a mão e limpá-las; nesse mesmo instante, a recordação da irmã apodera-se dele de uma forma ardente. *Deus me valha,* pensa. *O que estou eu aqui a fazer?*

– Pode sentar-se, se quiser.

Ele senta-se. A mobília brilha, a sala encontra-se opressivamente limpa.

– Como se chama? – pergunta.

– Desiree.

Desiree: agora recorda-se. Melanie a primogénita, a obscura, e depois Desiree, a desejada. Com certeza desafiaram os deuses ao darem-lhe um nome destes!

– Eu chamo-me David Lurie. – Observa-a atentamente, mas ela parece não o reconhecer. – Sou da Cidade do Cabo.

– A minha irmã está na Cidade do Cabo. Está lá a estudar.

Ela acena em concordância. Não diz: – Conheço a tua irmã, conheço-a muito bem. – Mas pensa: – Frutos da mesma árvore, provavelmente até ao mais íntimo pormenor. Contudo com as suas diferenças: impulsos diferentes do sangue, arrebatamentos diferentes da paixão. As duas na mesma cama: uma experiência digna de um rei.

Sente um pequeno arrepio e olha para o relógio. – Sabe que mais, Desiree? Acho que vou tentar encontrar o seu pai na escola, se me disser como lá chegar.

A escola está inserida no conjunto habitacional: é um edifício baixo de tijolo com janelas de aço e telhado de fibrocimento, construído num espaço poeirento rodeado por uma cerca de arame farpado. Um dos pilares da entrada tem a inscrição F. S. MARAIS, o outro ESCOLA SECUNDÁRIA.

Está deserta. Vagueia até encontrar um letreiro que diz SECRETARIA. Lá dentro encontra-se uma secretária roliça de meia-idade a tratar das unhas. – Procuro Mr. Isaacs – diz.

– Mr. Isaacs! – chama a secretária. – Tem uma visita! – E, voltando-se para ele: – Entre.

Isaacs, sentado atrás da secretária, começa a levantar-se, faz uma pausa, olha-o com ar intrigado.

– Lembra-se de mim? David Lurie, da Cidade do Cabo.

– Oh! – exclama, voltando a sentar-se. Traz vestido o mesmo fato largo, largo até de mais: o pescoço desaparece dentro do casaco, de onde ele espreita como um pássaro de bico comprido aprisionado num saco. As janelas estão fechadas, paira no ar um cheiro a fumo estagnado.

– Se não quiser falar comigo, vou-me embora imediatamente – diz.

– Não – diz Isaacs. – Sente-se. Estou só a verificar as faltas. Importa-se que eu termine primeiro?

– Faça favor.

Encontra-se uma moldura com uma fotografia na secretária. Do sítio onde está sentado não consegue vê-la, mas sabe de quem se trata: Melanie e Desiree, as meninas dos olhos do pai, com a mãe que as deu à luz.

– Então – diz Isaacs, fechando a última folha de presenças. – A que devo o prazer da sua visita?

Pensava que ia ficar tenso, mas, na verdade, sente-se bastante calmo.

– Depois de Melanie ter apresentado queixa – diz – a universidade levou a cabo um inquérito oficial. Como resultado, demiti-me. É essa a história; deve conhecê-la.

Isaacs olha-o com ar intrigado, não demonstrando qualquer emoção.

– Desde então tenho tido muito tempo disponível. Hoje ia a passar por George e pensei em parar e falar consigo. Lembro-me que o nosso último encontro foi... bastante emotivo. Mas achei que, de qualquer maneira, devia aparecer e dizer-lhe o que me vai no coração.

Isto é verdade. Quer dizer o que lhe vai no coração. A questão é, o que lhe vai no coração?

Isaacs tem uma esferográfica *Bic* na mão. Os dedos deslizam por ela abaixo, volta-a ao contrário, e os dedos deslizam outra vez para baixo, e torna a voltá-la ao contrário, num movimento que é mais mecânico do que impaciente.

Prossegue. – O senhor ouviu a versão da Melanie. Gostaria de lhe contar a minha, se estiver disposto a escutá-la.

– Tudo começou sem qualquer premeditação da minha parte. Começou como uma aventura, uma daquelas pequenas aventuras repentinas que um certo tipo de homens tem, homens como eu, e que nos fazem continuar a viver. Desculpe-me falar desta forma. Estou a tentar ser franco.

»Contudo, no caso da Melanie, aconteceu algo inesperado. Penso no caso como um incêndio. Ela incendiou-me.

Faz uma pausa. A caneta prossegue a sua dança. *Uma pequena aventura repentina. Um certo tipo de homens.* Será que o homem que se encontra por detrás da secretária tem aventuras? Quanto mais olha para ele, mais dúvidas tem acerca disso. Não se surpreenderia se Isaacs fosse alguma coisa na igreja, diácono ou servo, seja lá um servo o que for.

– Um incêndio: o que tem isso de extraordinário? Se uma chama se extingue, risca-se um fósforo e acende-se outra. Era assim que eu pensava. Contudo, antigamente as pessoas veneravam o fogo. Pensavam duas vezes antes de deixarem uma chama apagar-se, uma chama divina. Foi esse género de chama que a sua filha ateou em mim. Não suficientemente quente para me «matar», mas real: uma chama bem real.

Morto – matado.

A caneta parou. – Mr. Lurie – diz o pai da rapariga com um sorriso falso no rosto. – Pergunto a mim mesmo que diabo pensa o senhor que está a fazer, ao vir à minha escola contar-me histórias...

– Lamento, é um abuso, eu sei. Mas já terminei. Era tudo o que queria dizer em minha defesa. Como está a Melanie?

– A Melanie está boa, já que quer saber. Telefona todas as semanas. Voltou a estudar, deram-lhe uma dispensa especial, estou certo que compreende, dadas as circunstâncias. Continua no teatro no tempo livre e vai bem. Por isso, a Melanie está boa. E o senhor? Quais são os seus planos, agora que deixou a profissão?

– Eu também tenho uma filha, deve gostar de saber. Ela tem uma quinta; conto passar algum tempo com ela e ajudá-la. Também tenho um livro para terminar, uma espécie de livro. De uma forma ou de outra, mantenho-me ocupado.

Faz uma pausa. Isaacs olha-o com uma atenção penetrante.

– Então – diz Isaacs, suavemente, e a palavra desprende-se-lhe dos lábios como um suspiro: – assim caíram os grandes!

Caíram? Sim, houve uma queda, não há dúvida. Mas *grande?* Será que a palavra *grande* o descreve? Ele considera-se pequeno e cada vez mais pequeno. Uma figura saída das margens da história.

– Talvez seja bom – diz – sofrer uma queda de vez em quando. Desde que não nos quebremos.

– Bom. Bom. Bom – diz Isaacs, mantendo nele aquele olhar fixo. Pela primeira vez, detecta nele traços de Melanie: um trejeito da boca e dos lábios. Num impulso, estende a mão por cima da secretária para apertar a mão do homem, mas acaba por agarrar as costas da mão. Pele fria e sem pêlos.

– Mr. Lurie – diz Isaacs. – Tem mais alguma coisa a dizer-me, além da sua história com a Melanie? Disse que havia qualquer coisa no seu coração.

– No meu coração? Não. Não, só passei por cá para saber como estava a Melanie. – Levanta-se. – Obrigado por me receber, agradeço-lhe muito. – Estende a mão, desta vez decidido. – Adeus.

– Adeus.

Já está à porta, na verdade, está já na outra sala, que se encontra agora deserta, quando Isaacs o chama: – Mr. Lurie! Um minuto! Ele regressa.

– Que planos tem para esta noite?

– Para esta noite? Estou num hotel. Não tenho planos.

– Vá jantar connosco. Vá lá a casa.

– Acho que a sua mulher não vai gostar da ideia.

– Talvez. Talvez não. Mas, de qualquer forma, apareça. Venha «partir o pão» connosco. Jantamos às sete. Vou escrever-lhe a morada.

– Não é preciso. Eu já estive em sua casa e conheci a sua filha. Foi ela que me deu as indicações para vir aqui.

Isaacs nem pestaneja. – Óptimo – diz.

É o próprio Isaacs quem abre a porta da frente. – Entre, entre – diz e leva-o para a sala de estar. Não há vestígios da mulher nem da segunda filha.

– Trouxe um presente – diz entregando uma garrafa de vinho.

Isaacs agradece, mas parece não saber o que fazer com o vinho. – Posso servir-lhe um copo? Vou só abrir a garrafa. – Sai da sala; ouvem-se palavras na cozinha. Regressa. – Parece que perdemos o saca-rolhas. Mas a Dezzy vai ao vizinho pedir um emprestado.

É óbvio que não bebem álcool. Devia ter previsto isso. Uma pequena casa burguesa, frugal, prudente. O carro lavado, o relvado aparado, poupanças no banco. Todos os seus recursos concentrados no lançamento das duas preciosas filhas no futuro: a inteligente Melanie, com as suas ambições teatrais; Desiree, a bonita.

Lembra-se de Melanie, na primeira noite em que se encontraram, sentada ao seu lado a beber café com o copo de uísque na mão para – a palavra surge-lhe relutante – para a *lubrificar*. O seu pequeno corpo asseado; as roupas *sexy*; os olhos brilhantes de excitação. A passear na floresta onde vagueia furtivo o lobo mau.

Desiree, a bela, entra na sala com a garrafa e um saca-rolhas. Ao atravessar a sala hesita um instante, sabendo que tem de o cumprimentar. – Papá? – murmura um pouco confusa, segurando a garrafa.

Portanto: descobriu quem ele é. Falaram sobre ele, talvez tenham discutido por causa dele: o visitante indesejado, o homem cujo nome é tabu.

O pai agarrou-lhe a mão. – Desiree – diz – este é Mr. Lurie.

– Olá, Desiree.

O cabelo que lhe tapava o rosto está agora puxado para trás. Ela encara-o, ainda perturbada, mas novamente forte, agora que se encontra sob a protecção do pai. – Olá – murmura; e ele pensa *Meu Deus, meu Deus!*

Quanto a ela, não consegue esconder o que lhe vai na mente: *Então é este o homem com quem a minha irmã esteve nua! Então é este o homem com quem ela fez aquilo! Com este velho!*

Existe uma pequena sala de jantar com um postigo que dá para a cozinha. A mesa está posta com quatro pratos e os melhores talheres; há velas acesas. – Sente-se, sente-se! – diz Isaacs. Ainda não viu qualquer sinal da mulher. – Desculpe-me um segundo. – Isaacs desaparece na cozinha. À mesa fica frente a frente com Desiree. Ela baixa a cabeça, agora menos corajosa.

Depois eles chegam, pai e mãe juntos. Ele levanta-se. – Ainda não conheceu a minha mulher. Doreen, o nosso convidado, Mr. Lurie.

– Estou-lhe muito grato por me receberem em vossa casa, Mrs. Isaacs.

Mrs. Isaacs é uma mulher de meia-idade e baixa estatura que começa a engordar, com pernas arqueadas que lhe dão um andar bamboleante. Mas ele consegue compreender a quem saem as irmãs. Deve ter sido muito bonita no seu tempo.

A sua expressão permanece inflexível, evita o olhar dele, mas não lhe concede a mais pequena das saudações. Obediente; uma boa esposa e ajudante. *E vós sereis da mesma carne.* Será que as filhas sairão a ela?

– Desiree – ordena –, vem ajudar-me.

Agradecida, a criança desce da cadeira.

– Mr. Isaacs, estou a causar-lhe aborrecimentos – diz. – Foi muito simpático em convidar-me, estou-lhe muito grato, mas é melhor ir embora.

Isaacs mostra-lhe um sorriso no qual, para sua surpresa, é revelado algum divertimento. – Sente-se, sente-se! Vai correr tudo bem! Vamos conseguir! – Aproxima-se. – Tem de ser forte!

Depois Desiree e a mãe regressam com travessas: frango guisado num molho de tomate a ferver que exala aromas a gengibre e a cominhos, arroz, muitas saladas e picles.

O género de comida de que ele sentia mais falta a viver com Lucy.

A garrafa é colocada à sua frente juntamente com um copo de vinho solitário.

– Sou o único a beber? – pergunta.

– Por quem é – diz Isaacs. – Faça favor.

Enche o copo. Não aprecia vinhos doces, comprou *Late Harvest* imaginando que seria do agrado deles. Bom, tanto pior para ele.

Têm ainda de fazer a oração. Os Isaacs dão as mãos; nada lhe resta fazer senão dar-lhes também ele as mãos, à esquerda o pai da rapariga, à direita a mãe. – Agradecemos ao Senhor a refeição que estamos prestes a receber – diz Isaacs. – Ámen – dizem a mulher e a filha; e ele, David Lurie murmura também «Ámen» e larga as mãos, a do pai fria como seda, a da mãe pequena, carnuda, quente de trabalhar.

Mrs. Isaacs começa a servir. – Cuidado, está quente – diz ela ao passar-lhe o prato. São estas as únicas palavras que lhe dirige.

Durante a refeição ele tenta ser um bom convidado, tenta falar de forma interessante, para preencher os silêncios. Fala sobre Lucy, sobre os canis, sobre as colmeias e os projectos hortícolas, sobre as idas ao mercado ao sábado de manhã. Fala de passagem acerca do ataque, mencionando apenas que lhe roubaram o carro. Fala sobre a Liga dos Amigos dos Animais, mas não acerca do incinerador do hospital nem das tardes passadas com Bev Shaw.

Contada desta forma, a história desenrola-se sem problemas. A vida no campo em toda a sua idiota simplicidade. Como ele gostaria que fosse verdade! Está cansado dos problemas, das complicações, das pessoas complicadas. Ama a filha, mas há alturas em que a desejava mais simples: mais simples, mais metódica. O homem que a violou, o líder do grupo, era assim. Tal como uma lâmina a cortar o vento.

Tem uma visão de si mesmo estirado em cima de uma mesa de operações. Um bisturi reluz; está aberto da garganta até às virilhas; consegue ver tudo, mas não sente dor. Um cirurgião, de barba debruça-se sobre ele, franzindo a testa. *O que é isto tudo?* resmunga o cirurgião. Mexe-lhe na vesícula biliar. *O que é isto?* Corta-a e deita-a fora. Mexe--lhe no coração. *O que é isto?*

– A sua filha trata da quinta sozinha? – pergunta Isaacs.

– Há um homem que a ajuda às vezes. O Petrus. É afri-cano. – E conta-lhes acerca de Petrus, acerca do sólido Petrus em quem se pode confiar, com as suas duas mulhe-res e as suas ambições moderadas.

Está menos zangado do que aquilo que pensava estar. A conversa esmorece, mas conseguem terminar a refeição. Desiree pede para se levantar e ir fazer os trabalhos de casa. Mrs. Isaacs levanta a mesa.

– Tenho de me ir embora – diz. – Amanhã tenho de me levantar cedo.

– Espere, fique mais um pouco – diz Isaacs.

Encontram-se sozinhos. Não pode continuar a mentir.

– Acerca de Melanie – diz.

– Sim?

– Só mais uma coisa, depois acabo. Acho que podia ter sido diferente entre nós os dois, apesar das nossas idades. Mas houve algo que eu não consegui dar-lhe, algo – pro-cura a palavra –, algo lírico. Eu lido muito bem com o amor. Mesmo quando estou a arder não canto, se é que percebe o que quero dizer. Lamento muito o que aconte-ceu. Lamento o que fiz a sua filha passar. O senhor tem uma família maravilhosa. Lamento a dor que lhe causei e a Mrs. Isaacs. Peco-lhe perdão.

Maravilhosa não. O correcto seria *exemplar.*

– Portanto – diz Isaacs – finalmente pediu desculpa. Estava a ver quando o faria. – Pára um momento para pen-sar. Não se sentou; começa a andar para cá e para lá. – Lamenta. Faltou-lhe lirismo, ao que me diz. Se tivesse tido o lirismo, não estaríamos aqui hoje. Mas eu penso comigo mesmo, todos nós lamentamos quando somos descobertos. Nessa altura lamentamos muito. A questão não é se lamentamos? A questão é que lição aprendemos? A questão é o que vamos fazer agora que lamentamos?

Está prestes a responder, mas Isaacs levanta a mão. – Posso pronunciar a palavra *Deus* à sua frente? O senhor não é daqueles que ficam perturbados quando escutam o nome de Deus? A questão é o que quer Deus de si além dos seus lamentos? Tem alguma ideia, Mr. Lurie?

Embora esteja distraído com Isaacs a andar de cá para lá, tenta medir bem as palavras. – Geralmente eu diria – diz ele – que depois de uma certa idade ficamos velhos de mais para aprender seja o que for. Apenas nos resta sermos castigados uma e outra vez. Mas talvez isso não seja verdade, nem sempre. Vou esperar. Quanto a Deus, eu não sou crente, por isso terei de traduzir aquilo a que chama Deus e aquilo que Deus deseja para a minha linguagem. Na minha linguagem estou a ser castigado por aquilo que aconteceu entre mim e a sua filha. Estou mergulhado num estado de desgraça do qual não será fácil sair. Não foi o castigo que eu recusei. Não me oponho a ele. Pelo contrário, vivo-o todos os dias, tentando aceitar a desgraça como o meu estado natural. Acha que será o suficiente para Deus que eu viva em desgraça para sempre?

– Não sei, Mr. Lurie. Geralmente, eu diria, não me pergunte a mim, pergunte a Deus. Mas uma vez que não reza, não tem nenhuma forma de perguntar a Deus. Por isso, Deus tem de encontrar meios de lho dizer. Por que pensa que está aqui, Mr. Lurie?

Permanece em silêncio.

– Eu digo-lhe. Ia a passar por George, lembrou-se que a família da sua aluna era de George e pensou consigo mesmo *Porque não*? Não o planeou. Contudo, agora encontra-se em nossa casa. Deve ser uma surpresa para si. Estou certo?

– Nem por isso. Eu não lhe contei a verdade. Eu não ia apenas a passar por George. Vim cá apenas por uma razão: falar consigo. Há já algum tempo que andava a pensar nisto.

– Sim, veio falar comigo, como me está a dizer, mas porquê comigo? É fácil falar comigo, muito fácil. Todas as
crianças da minha escola sabem isso. Com o Isaacs safas-te
bem – é o que eles dizem. – Está outra vez a sorrir, o
mesmo sorriso perverso. – Por isso, na realidade, com
quem veio falar?

Agora tem a certeza: não gosta deste homem, não gosta
das suas artimanhas.

Levanta-se, e atravessa cambaleante a sala de jantar
deserta, metendo pelo corredor. Ouve vozes baixas por
detrás da porta entreaberta. Empurra a porta. Desiree e a
mãe estão sentadas na cama a fazer algo com um novelo de
lã. Espantadas por o verem, ficam em silêncio.

Com uma cerimónia cautelosa põe-se de joelhos e toca
com a cabeça no chão.

Será o suficiente? pensa. Chegará? Se não, que mais
poderá fazer?

Levanta a cabeça. Elas continuam ali, paralisadas. Olha
a mãe nos olhos, depois a filha, e novamente a corrente o
ataca, a corrente do desejo.

Põe-se de pé, acto que lhe custa um pouco mais do que
desejaria. – Boa noite – diz. – Obrigado pela vossa hospi-
talidade. Obrigado pela refeição.

Às onze horas recebe um telefonema no quarto do hotel.
É Isaacs. – Estou a ligar-lhe para lhe desejar força para o
futuro. – Uma pausa. – Há uma coisa que nunca lhe perguntei, Mr. Lurie. Não está à espera que intervenhamos a
seu favor na universidade, pois não?

– Que intervenham?

– Sim. Para que o aceitem de volta, por exemplo?

– Tal nunca me passou pela cabeça. A universidade acabou para mim.

– Porque o caminho que está a seguir é o caminho que
Deus lhe ordenou. Não nos cabe a nós interferir.

– Compreendido.

20

Regressa à Cidade do Cabo pela N2. Esteve ausente menos de três meses. Contudo, durante esse período os bairros de barracas passaram para o outro lado da auto--estrada e espalharam-se para lá do aeroporto. A fila de carros tem de abrandar enquanto uma criança com um pau tira da estrada uma vaca tresmalhada. Na sua opinião, o campo está a mudar-se inexoravelmente para a cidade. Em breve haverá novamente gado em Rondebosch Common; em breve a história completará o seu círculo.

Portanto, encontra-se em casa outra vez. Não sente que esteja a regressar a casa. Não se consegue imaginar a viver novamente em Torrance Road, à sombra da universidade, esgueirando-se como um criminoso, evitando os antigos colegas. Terá de vender a casa, mudar-se para um apartamento mais barato.

Tem as finanças num estado caótico. Não paga qualquer conta desde que partiu. Vive do crédito; mais dia menos dia, o crédito acabará.

O fim da vida errante. O que se segue à vida errante? Imagina-se de cabelo branco, ombros alquebrados, a arrastar os pés até à mercearia da esquina para comprar meio litro de leite e meio pão; imagina-se sentado à secretária sem inspiração num quarto cheio de papéis amarelecidos, à espera que a tarde se extinga para poder fazer o jantar e ir para a cama. A vida de um erudito obsoleto, sem esperança, sem expectativas: estará preparado para isso?

Destranca o portão da frente. O jardim está coberto de mato, a caixa do correio atafulhada com panfletos publicitários. Embora bem fortificada, a casa esteve vazia durante meses: seria esperar de mais que não tivesse sido visitada. E, de facto, assim que abre a porta e cheira a atmosfera, percebe que se passa algo de errado. O coração começa a bater com uma excitação doentia.

Não ouve qualquer ruído. Quem quer que aqui tenha estado, já se foi embora. Mas como conseguiram entrar? Pé ante pé, de divisão em divisão, em breve descobre. As grades de uma das janelas das traseiras foram arrancadas da parede e dobradas para trás, os vidros foram partidos, deixando um buraco suficientemente grande para uma criança ou mesmo um homem pequeno conseguir passar. Um tapete de folhas e areia, trazidas pelo vento, espalha-se pelo chão.

Vagueia pela casa contabilizando as perdas. O seu quarto foi pilhado, as prateleiras estão completamente vazias. A aparelhagem sonora desapareceu, as cassetes e os discos, o equipamento informático. No escritório, a escrivaninha e o armário foram estroncados; há papéis espalhados por todo o lado. A cozinha foi completamente saqueada: talheres, louça, pequenos utensílios. As bebidas alcoólicas desapareceram. Até o armário que tinha comida enlatada está vazio.

Não se tratou de um assalto vulgar. Um grupo de invasores entrou, limpou completamente o local e foi-se embora com sacos, caixas e malas. Pilhagem; compensações de guerra; outro incidente na grande campanha da redistribuição. Quem andará neste momento com os seus sapatos calçados? Terão Beethoven e Janácek encontrado um lar ou terão sido atirados para alguma lixeira?

Vem um mau cheiro da casa de banho. Um pombo, preso dentro de casa, morreu no lavatório. Delicadamente, mete aquela confusão de ossos e penas num saco de plástico e ata-o.

A luz foi cortada, o telefone não dá sinal. A menos que tome alguma providência, passará a noite às escuras. Mas está muito deprimido para reagir. Que se lixe, pensa, senta-se numa cadeira e fecha os olhos.

Quando a noite cai, levanta-se e sai de casa. As primeiras estrelas brilham no céu. Mete por ruas desertas, por jardins que exalam um odor forte a verbena e a junquilho, e dirige-se para a universidade.

Ainda tem as chaves do Complexo da Comunicação. Uma boa hora para ir à caça: os corredores estão desertos. Entra no elevador que dá acesso ao seu gabinete, no quinto andar. A placa com o seu nome na porta foi retirada. A nova placa diz «DR. S. OTTO». Uma luz ténue passa por debaixo da porta.

Bate à porta. Nenhuma resposta. Abre a porta e entra.

A sala foi modificada. Os seus livros e as suas fotografias desapareceram, deixando as paredes despidas excepto pela ampliação de um herói da banda desenhada: o Super-homem inclinando a cabeça enquanto é recriminado por Louis Lane.

Por detrás do computador, à média luz, encontra-se sentado um jovem que ele nunca viu antes. O jovem franze o sobrolho. – Quem é o senhor? – pergunta.

– Sou David Lurie.

– Sim? E?

– Venho buscar o meu correio. Este gabinete já foi meu. – *No passado,* quase acrescenta.

– Ah, pois, David Lurie. Peço desculpa, não estava a raciocinar. Coloquei tudo numa caixa. E também outras coisas suas que encontrei. – Acena com a mão. – Ali.

– E os meus livros?

– Estão todos lá em baixo na arrecadação.

Pega na caixa. – Obrigado – diz.

– De nada – responde o jovem Dr. Otto. – Consegue levá-la?

Leva a pesada caixa para a biblioteca com o objectivo de ver o correio. Mas, quando chega à barreira de acesso, a máquina não aceita o seu cartão. Tem de ver o correio num banco do corredor.

Está agitado de mais para dormir. De madrugada dirige-
-se para a montanha e dá uma longa caminhada. Choveu,
as correntezas são fortes. Inspira o aroma embriagante dos
pinheiros. A partir deste dia é um homem livre, sem quaisquer obrigações a não ser para consigo mesmo. Pode dis-
por do tempo como desejar. A sensação é perturbadora,
mas parte do princípio de que acabará por se habituar.

A temporada que passou com Lucy não o transformou
num homem do campo. Não obstante, tem saudades de
algumas coisas – da família de patos, por exemplo: a Mãe
Pata aos ziguezagues na superfície do dique, com o peito
inchado de orgulho, enquanto os seus patinhos nadam dili-
gentemente atrás dela, confiantes que, desde que ela ali
esteja, nada de mal lhe pode acontecer.

Quanto aos cães, não quer pensar neles. A partir de
domingo, os cães abatidos na clínica serão lançados ao
fogo despercebidamente, sem que os chorem. Será alguma
vez perdoado por essa traição?

Vai ao banco e leva um carregamento de roupa à lavan-
daria. Na pequena loja onde, anos a fio, comprou café, o
empregado finge não o reconhecer. O vizinho, ao regar
o jardim, mantém-se intencionalmente de costas voltadas
para ele.

Pensa em William Wordsworth na primeira vez que vai
a Londres e assiste a uma pantomima, e vê Jack, o Gigante
Assassino, a atravessar jovialmente o palco, agitando a
espada, protegido pela palavra *Invisível* que traz escrita no
peito.

Ao fim da tarde telefona a Lucy de uma cabina telefónica. – Lembrei-me de te ligar para o caso de estares preocupada comigo – diz. – Estou bem. Acho que vou demorar algum tempo a assentar. Ando de um lado para o outro
dentro de casa como um feijão dentro de uma garrafa.
Tenho saudades dos patos.

Não lhe fala no assalto. De que serve preocupar Lucy
com os seus problemas?

– E o Petrus? – pergunta. – O Petrus tem cuidado de ti
ou ainda anda atarefado com a construção da casa?

– O Petrus tem ajudado. Todos têm sido bastante prestáveis.

– Bom, eu posso regressar assim que precisares de mim. Basta dizeres.

– Obrigada, David. Para já talvez não, mas um destes dias.

Quando a filha nasceu, quem diria que chegaria o dia em que ele rastejaria a seus pés pedindo-lhe que o acolhesse.

Às compras no supermercado, dá por si numa fila atrás de Elaine Winter, a directora do seu departamento. Ela tem um carrinho cheio de compras, ele um pequeno cesto. Ela devolve-lhe a saudação nervosamente.

– E como tem passado o departamento sem mim? – pergunta ele o mais prazenteiramente que consegue.

Muito bem, obrigada – teria sido a resposta mais franca: *Passamos muito bem sem si.* Mas ela é demasiado educada para dizer essas palavras. – Oh, com as dificuldades de sempre – responde.

– Conseguiram contratar alguém?

– Temos lá uma pessoa nova a contrato. Um jovem.

Já o conheci, poderia responder. *Um empertigado*, poderia acrescentar. Mas também ele é bem-educado. – Em que é que ele se especializou? – pergunta, em vez disso.

– Linguística aplicada. Está no ensino de línguas.

Lá se vão os poetas, lá se vão os mestres falecidos, que não o terão guiado bem, cabe-lhe dizer. *Aliter,* que ele não escutou convenientemente.

A mulher que segue à frente deles na fila demora muito tempo a pagar. Ainda há tempo para Elaine fazer a pergunta seguinte, que deveria ser *E como se tem dado, David?,* e para ele responder *Muito bem, Elaine, muito bem.*

Mas, em vez disso, ela diz: – Quer ir à minha frente? – e aponta para o cesto. – Tem poucas compras.

– Nem pensar, Elaine – responde ele, e depois sente algum prazer ao vê-la a colocar as compras em cima do balcão: não apenas o pão e a manteiga mas também as pequenas guloseimas que uma mulher que vive sozinha concede a si mesma – gelado de natas (amêndoas verdadeiras, passas verdadeiras), bolachas italianas importadas, tabletes de chocolate – e ainda uma embalagem de pensos higiénicos.

Paga com o cartão de crédito. Do outro lado da barreira despede-se dele acenando com a mão. Está visivelmente aliviada. – Adeus! – diz ele por cima da cabeça do empregado da caixa. – Dê cumprimentos meus a toda a gente! – Ela não se volta para trás.

Na sua primeira versão, a ópera girava em torno de Lorde Byron e da sua amante a Condessa Guiccioli. Presos na Vivenda Guiccioli, no calor sufocante do Verão de Ravena, espiados pelo marido ciumento de Teresa, os dois vagueariam pelas salões sombrios cantando a sua malograda paixão. Teresa sente-se aprisionada; manifesta ressentimento e insiste com Byron para que a leve para outra vida. Quanto a Byron, está cheio de dúvidas, embora seja suficientemente prudente para não as expressar em voz alta. Suspeita que os arrebatamentos apaixonados que tiveram em tempos não se venham a repetir. A sua vida acalmou; obscuramente, começou a ansiar por um isolamento sossegado. E, não podendo ter isso, então a apoteose e a morte. As sublimes árias de Teresa não lhe despertam qualquer desejo; a sua própria voz, obscura, convoluta, passa por ela e não penetra, atravessa-a.

Foi assim que a concebeu: como uma peça de câmara sobre amor e morte, com uma jovem apaixonada e um homem mais velho, em tempos também ele apaixonado, mas não agora; como uma acção apoiada por música complexa e irrequieta, cantada num inglês que evoca continuamente um italiano imaginado.

Superficialmente, esta concepção não é mal pensada. As personagens são bastante equilibradas: o casal encurralado, a amante abandonada batendo nas janelas, o marido ciumento. E até a vivenda, com os macacos de estimação de Byron pendurados languidamente nos candelabros e os pavões a passearem-se de um lado para o outro por entre a pomposa mobília napolitana, ostenta a mistura certa de intemporalidade e decadência.

Contudo, primeiro na quinta de Lucy e agora aqui, não consegue entregar-se ao projecto de alma e coração. Há algo de errado na sua concepção, algo que não vem do coração. Uma mulher que se queixa aos céus por os criados estarem a espiá-la e ter de aliviar os seus desejos com o amante num armário para vassouras – que interessa isso? Consegue arranjar palavras para Byron, mas a Teresa que a história lhe legou – jovem, gananciosa, obstinada, petulante – não coincide com a música com que sonhou, música essa cujas harmonias, luxuriantemente outonais e contudo de uma ironia acutilante, consegue escutar velada na sua mente.

Tenta outra via. Abandonando as páginas de anotações que escreveu, abandonando a ousada e precoce jovem recém-casada com o seu amado Lorde inglês, tenta recriar Teresa na Idade Média. A nova Teresa é uma viúva roliça de baixa estatura que vive na Vivenda Gambá com o pai idoso, tratando da lida da casa, apertando os cordões à bolsa, sempre atenta para que os criados não roubem açúcar. Byron, nesta nova versão, há muito que faleceu; a única aspiração de Teresa à imortalidade e o conforto das noites passadas em solidão é a arca cheia de cartas e recordações que tem debaixo da cama, a que ela chama as suas *reliquiae,* que as suas sobrinhas abrirão após a sua morte e examinarão com reverência.

Será esta a heroína de que ele tem andado à procura? Será que uma Teresa mais velha lhe absorverá o coração, encontrando-se o seu coração no estado em que se encontra neste momento?

O tempo não foi simpático para Teresa. Com o peito pesado, o tronco atarracado, as pernas curtas, parece-se mais com uma camponesa, uma *contadina*, do que com uma aristocrata. As feições que Byron em tempos tanto admirava, tornaram-se hécticas; no Verão tem ataques de asma que a deixam sem respirar.

Nas cartas que Byron lhe escreveu chama-lhe *Minha amiga,* depois *Meu amor* e, depois, *Meu amor para sempre.*

Mas existem outras cartas, cartas a que ela não tem acesso e às quais não pode deitar fogo. Nessas cartas, dirigidas aos seus amigos ingleses, Byron trata-a com desrespeito, colocando-a na lista das suas conquistas italianas, troça do marido dela, alude a mulheres do seu meio com quem dormiu. Durante os anos que se seguiram à morte de Byron, os seus amigos escreveram memórias atrás de memórias com base nas suas cartas. Depois de conquistar a jovem Teresa, rezam as histórias, Byron depressa perdeu o interesse por ela; achava-a de cabeça oca; ficou com ela apenas por obrigação; foi para fugir dela que partiu para a Grécia e para a sua morte.

Estas calúnias magoam-na imenso. Os anos que passou com Byron são o ponto mais alto da sua vida. O amor de Byron é tudo o que a faz sentir diferente, a faz sentir alguém. Sem ele, ela não é nada: uma mulher que já viveu a mocidade, sem planos, passando os dias numa cidade de província, trocando visitas com amigas, massajando as pernas do pai quando lhe doem, dormindo sozinha.

Conseguirá amar esta mulher feia e vulgar? Conseguirá amá-la o suficiente para compor música para ela? Se não conseguir, o que lhe resta?

Regressa ao que deve ser agora a cena de abertura. O fim de mais um dia abafado. Teresa encontra-se à janela do primeiro andar da casa do pai, olhando para lá dos pântanos e dos pinheirais da Romagna, em direcção ao sol que brilha no Adriático. Fim do prelúdio; silêncio; respira fundo. *Mio Byron*, canta ela, com a voz vibrante de tristeza. Um clarinete a solo responde-lhe, decresce, fica em silêncio. *Mio Byron*, chama outra vez, com mais força.

Onde está ele, o seu Byron? Byron está perdido, é essa a resposta. Byron vagueia por entre as sombras. E ela também está perdida, a Teresa que ele amava, a rapariga de dezanove anos com os seus caracóis loiros, que se ofereceu com tanta alegria ao irresistível cavalheiro inglês, acariciando-lhe depois a fronte, enquanto ele permanecia deitado por cima do seu peito nu, respirando profundamente, entorpecido após a grande paixão.

Mio Byron, canta pela terceira vez; e, vinda de algures, das profundezas, uma voz responde-lhe cantando, vacilante e desencarnada, a voz de um fantasma, a voz de Byron. *Onde estás?* canta a voz; e, depois, uma palavra que ela não deseja escutar: *secca,* seca. *Secou, a fonte de tudo.*

Tão ténue, tão balbuciante é a voz de Byron que Teresa tem de repetir as suas palavras, ajudando-o palavra a palavra, ressuscitando-o: o seu filho, o seu menino. *Estou aqui,* canta, apoiando-o, salvando-o, evitando que se afunde. *Sou a tua fonte. Lembras-te quando visitámos juntos a nascente de Arquà? Juntos, tu e eu. Eu era a tua Laura. Lembras-te?*

Tem de ser assim, daqui para a frente: Teresa dando voz ao seu amado e ele, o homem na casa saqueada, dando voz a Teresa. O aleijado a guiar o coxo, à falta de melhor.

Aumentando ao máximo o seu ritmo de trabalho, agarrando-se com força a Teresa, tenta esboçar as primeiras páginas de um libreto. Pensa que é preciso pôr as palavras no papel. Depois de o fazer, tudo será mais fácil. Então, terá tempo para estudar os mestres – Gluck, por exemplo – tirando melodias, talvez – quem sabe? – tirando ideias também.

Mas com o passar do tempo, à medida que começa a ter os dias mais preenchidos com Teresa e com o falecido Byron, torna-se-lhe evidente que canções surripiadas não servirão, que aqueles dois exigirão uma música própria. E, surpreendentemente, aos poucos, a música aparece. Por vezes o contorno de uma frase surge-lhe antes mesmo de saber o que as próprias palavras serão; por vezes as palavras chamam a cadência; por vezes a sombra de uma melodia, depois de pairar durante dias no ouvido, revela-se-lhe inteira. À medida que a acção começa a desenrolar-se, evoca as modulações e transições de acordes que sente no sangue mesmo quando não possui os recursos musicais para as realizar.

Senta-se ao piano e começa a juntar os fragmentos do início de uma partitura. Mas há algo no som do piano que o embaraça: demasiado arredondado, demasiado físico, demasiado rico. No sótão, numa arca cheia de livros e brinquedos velhos de Lucy, encontra o pequeno banjo de sete cordas que comprou nas ruas de KwaMashu, quando ela era criança. Com a ajuda do banjo, começa a tocar a música que Teresa, ora pesarosa, ora zangada, cantará ao seu amado já falecido, a que o som mortiço da voz de Byron responderá da terra das sombras.

Quanto mais persegue a Condessa para as suas profundezas, cantando-lhe palavras e trauteando-lhe a linha melódica, mais inseparável se torna dela o ridículo *plinc-plonc* do banjo de brincar, o que não deixa de o surpreender. Começa a abandonar lentamente as árias luxuriantes com que tinha sonhado; é só um passo daí até colocar-lhe o instrumento nas mãos. Em vez de se pavonear pelo palco, Teresa senta-se agora a olhar para os portões do inferno por cima dos pântanos, tocando o bandolim com o qual acompanha os seus voos líricos; enquanto isto, a um lado, um trio discreto de calções pelos joelhos (violoncelo, flauta, fagote) preenchem os entreactos ou fazem parcimoniosamente comentários entre estrofes.

Sentado à escrivaninha, olhando para o jardim maltratado, maravilha-se com o que o pequeno banjo lhe está a ensinar. Seis meses atrás pensara que o seu lugar fantasmagórico em *Byron em Itália* seria algures entre Teresa e Byron: entre o anseio de prolongar o Verão do corpo apaixonado e uma lembrança relutante do longo sono do esquecimento. Mas estava enganado. Afinal de contas, não é o erótico que o chama, nem o elegíaco, mas sim o cómico. Ele não está na ópera como Teresa, como Byron ou como uma mistura de ambos: está preso à própria música, ao som rápido, menor, minúsculo das cordas do banjo, essa voz que se esforça por se afastar do burlesco instrumento, mas que é continuamente retida, como um peixe no anzol.

Com que então, é isto a arte e é assim que funciona! Que estranho! Que fascinante!

Passa dias inteiros agarrado a Byron e a Teresa, alimentando-se apenas de café e cereais. O frigorífico está vazio, a cama por fazer; folhas esvoaçam pelo chão perto da janela partida. Não interessa, pensa: os mortos que enterrem os seus mortos.

Foi com os poetas que aprendi a amar, canta Byron no seu tom monótono e dissonante, nove sílabas na escala natural de Dó; *mas a vida, descobri* (descendo cromaticamente para o Fá), *é outra história. Plinc-plonc-plunc* fazem as cordas do banjo. *Oh, diz-me, porque falas assim?* canta Teresa num longo arco exprobatório. *Plunc-plinc-plonc* fazem as cordas.

Teresa quer ser amada, quer ser amada para todo o sempre; quer fazer companhia às Lauras e às Floras de outrora. E Byron? Byron será fiel até à morte, mas é tudo o que promete. *Ficaremos juntos até a morte levar um de nós.*

Meu amor, canta Teresa, avolumando o dissílabo já de si opulento que aprendeu na cama do poeta. *Plinc*, ecoam as cordas. Uma mulher apaixonada, espojando-se no amor; um gato no telhado, miando; complexas proteínas redemoinhando no sangue, distendendo os órgãos sexuais, fazendo transpirar as palmas das mãos, e a voz, espessa como a alma, bradar com veemência as suas ânsias aos céus. Era para isso que Soraya e as outras serviam: para sugarem as vitaminas complexas do seu sangue como veneno de víboras, deixando-o desanuviado e seco. Teresa na casa de seu pai em Ravena, para seu infortúnio, não tem ninguém que lhe sugue o veneno. *Vem até mim, mio Byron,* grita; *vem até mim e ama-me!* E Byron, sem vida, lívido como um fantasma, responde escarninho: *Vai-te, vai-te, vai-te!*

Há anos atrás, quando vivia em Itália, visitou a mesma floresta entre Ravena e a costa do Adriático onde um século e meio antes Byron e Teresa costumavam andar a cavalo. Algures por entre aquelas árvores deve encontrar-se o local onde o cavalheiro inglês levantou pela primeira vez as saias da rapariga de dezoito anos, noiva de outro homem, que o enfeitiçou. Podia ir de avião até Veneza no dia seguinte, apanhar o comboio para Ravena, vaguear pelos velhos caminhos, passar por esse mesmo local. Está a inventar a música (ou a música a inventá-lo a ele), mas não está a inventar a história. Debaixo daqueles pinheiros Byron possuiu a sua Teresa – «tímida como uma gazela», chamou-lhe ele – amarrotando-lhe a roupa, enchendo-lhe a roupa interior de areia (os cavalos ao lado deles, desinteressados) e nesse momento nasceu uma paixão que fez Teresa bradar aos céus para o resto da sua vida natural numa febre que também o fez bradar.

Teresa guia-o; página após página, ele segue-a. Depois, certo dia, outra voz emerge das trevas, uma voz que ele nunca ouvira antes e que não esperava escutar. Pelas palavras, sabe que essa voz pertence à filha de Byron, Allegra; mas, de dentro dele, de onde vem essa voz? *Por que me abandonaste? Vem buscar-me!* pede Allegra. *Que calor, que calor, que calor!* queixa-se, num ritmo próprio que corta insistentemente as vozes dos amantes.

Não há qualquer resposta ao chamamento da inconveniente criança de cinco anos. Desengraçada, mal-amada, negligenciada pelo seu famoso pai, anda de mão em mão até que as freiras tomam conta dela. *Que calor, que calor!* geme deitada na cama do convento onde está a morrer de *malária. Por que te esqueceste de mim?*

Por que não lhe responderá o pai? Porque já teve vida que chegue; porque preferia estar onde merece, na outra margem da morte, afundado no seu velho sono. *Minha pobre filhinha!* Canta Byron, hesitante, relutante, baixo de mais para ela conseguir ouvi-lo. Sentados nas sombras, a um lado, o trio de instrumentistas toca uma canção de embalar – uma linha ascendente; a outra descendente, a de Byron.

21

Rosalind telefona-lhe. – A Lucy disse-me que estavas de regresso à cidade. Por que não me disseste nada?

– Não ando muito sociável.

– E alguma vez andaste? – comenta Rosalind secamente. Encontram-se num café em Claremont. – Emagreceste – comenta. – O que te aconteceu à orelha?

– Não foi nada – responde, sem acrescentar mais pormenores.

Enquanto conversam, o olhar dela salta permanentemente para a orelha deformada. Está certo de que ela se arrepiaria se tivesse de lhe tocar. Não é uma pessoa desse tipo. As melhores recordações que guarda são dos primeiros meses que passaram juntos: noites ardentes de Verão em Durban, lençóis encharcados em transpiração, o corpo longo e pálido de Rosalind movendo-se violentamente com os espasmos de um prazer que era difícil de distinguir da dor. Dois sensualistas: foi isso que os manteve juntos, enquanto durou.

Falam acerca de Lucy, acerca da quinta. – Pensei que ela vivia com uma amiga – diz Rosalind. – A Grace.

– A Helen. A Helen regressou a Joanesburgo. Julgo que acabaram de vez.

– A Lucy está em segurança, sozinha naquele sítio?

– Não, não está em segurança, estaria louca se pensasse que está em segurança. Mas ela vai lá ficar aconteça o que acontecer. Tornou-se uma questão de honra para ela.

– Disseste que te roubaram o carro.

– Foi culpa minha. Deveria ter tido mais cuidado.

– Esqueci-me de te dizer: contaram-me a história do teu julgamento. Com os pormenores.

– Do meu julgamento?

– Do teu inquérito, da tua investigação, chama-lhe o que quiseres. Disseram-me que não desempenhaste bem o teu papel.

– Ah, sim? Quem te disse isso? Pensei que era confidencial.

– Isso não interessa. Disseram-me que não deixaste boa impressão. Foste inflexível e estiveste sempre na defensiva.

– Eu não tentei deixar boa impressão. Estava a defender um princípio.

– Pode até ser, David, mas tenho a certeza de que sabes que os julgamentos nada têm a ver com princípios, têm a ver com a forma como uma pessoa se porta. Segundo me contaram, tu portaste-te muito mal. E qual era o princípio que estavas a defender?

– Liberdade de expressão. Liberdade de permanecer em silêncio.

– Parece-me muito louvável. Mas tu sempre tentaste enganar-te a ti mesmo, David. Sempre foste um impostor para com os outros e para contigo mesmo. Tens a certeza de que não foi por teres sido apanhado com as calças na mão?

Ele não responde à provocação.

– De qualquer forma, qualquer que tenha sido esse princípio, foi demasiado confuso para o teu auditório. Pensaram que estavas a tentar confundi-los. Devias ter arranjado alguém que te desse indicações sobre a atitude a tomar. O que vais fazer no que diz respeito a dinheiro? Cortaram-te a pensão?

– Eu recupero o que investi. Vou vender a casa. É muito grande para mim.

– E o que vais fazer para passar o tempo? Vais procurar emprego?

– Não me parece. Ando muito ocupado. Estou a escrever uma coisa.

– Um livro?

– Uma ópera, na verdade.

– Uma ópera! Bom, essa é nova. Espero que ganhes imenso dinheiro. Vais viver com a Lucy?

– A ópera é apenas um passatempo, algo para me entreter. Não é para ganhar dinheiro. E não, não vou viver com a Lucy. Não seria boa ideia.

– Por que não? Vocês sempre se deram bem. Aconteceu alguma coisa?

É uma pergunta impertinente, mas Rosalind nunca teve problemas em ser impertinente. – Partilhaste a cama comigo durante dez anos – disse-lhe certa vez. – Por que haverias de ter segredos?

– Lucy e eu continuamos a dar-nos muito bem – responde. – Mas não o suficiente para vivermos juntos.

– É a história da tua vida.

– Pois.

Segue-se um momento de silêncio enquanto contemplam, dos respectivos pontos de vista, a história da vida dele.

– Vi a tua namorada – diz Rosalind, mudando de assunto.

– A minha namorada?

– A tua amada. A Melanie Isaacs, não é assim que se chama? Entra numa peça do Dock Theatre. Não sabias? Percebo porque te apaixonaste por ela. Aqueles olhos escuros enormes. Corpo astuto de doninha. É mesmo o teu género. Deves ter pensado que seria mais um dos teus casos, um dos teus namoricos. E agora olha para ti. Deitaste fora a tua vida e para quê?

– Não deitei fora a minha vida, Rosalind. Tem juízo.

– Ai isso é que deitaste! Perdeste o emprego, o teu nome anda de rastos, os teus amigos evitam-te, escondes-te na Torrance Road como uma tartaruga com medo de meter a cabeça de fora da carapaça. Pessoas que nem aos teus calcanhares chegam dizem piadas a teu respeito. Não tens a camisa passada a ferro, sabe Deus quem te cortou o cabelo, tens... – Pára a invectiva. – Vais acabar como um desses velhos que andam a remexer os caixotes do lixo.

– Vou acabar numa cova no chão – responde. – E tu também. Assim como toda a gente.

– Basta, David, já estou suficientemente transtornada, não quero discutir. – Começa a juntar os embrulhos. – Quando te fartares de pão com compota, telefona-me que eu preparo-te uma refeição.

A referência a Melanie Isaacs perturba-o. Nunca foi dado a relações duradoiras. Quando um romance acaba, ele esquece-o. Mas há algo de inacabado no caso de Melanie. Lá no fundo, ainda sente o cheiro dela, o cheiro de uma companheira. Será que ela também se lembra do cheiro dele? *É mesmo o teu género*, disse Rosalind, e ela tem obrigação de saber. E se os seus caminhos voltassem a cruzar-se, o dele e o de Melanie? Será que os sentimentos se precipitariam, sinal de que o romance ainda não terminou?

Mas a ideia de voltar a contactar Melanie é uma loucura. Por que haveria ela de falar com um homem condenado como seu opressor? E, de qualquer forma, o que pensaria dele – aquele asno com a orelha esquisita, o cabelo mal cortado, o colarinho amarrotado?

O casamento entre Crono e Harmonia; antinatura. Foi para punir esta junção que ele foi julgado, assim que todas as palavras foram despidas de artifícios. Julgado pelo seu estilo de vida. Se os velhos perseguirem as jovens, qual será o futuro da espécie? No fundo, foi esse o motivo da condenação. Grande parte da literatura trata disso: raparigas jovens tentando fugir à opressão de homens velhos, para o bem da espécie.

Suspira. Os jovens nos braços um do outro, despreocupados, absortos na música sensual. Este país não é para velhos. Ao que parece, tem passado imenso tempo a suspirar. Arrependimento: uma nota de arrependimento, a deixa para se retirar.

Até há dois anos o Dock Theatre era um armazém frio onde as carcaças de porcos e bois esperavam penduradas para serem transportadas para o outro lado do mundo. Agora é um local de entretenimento que está na moda. Chega tarde, senta-se precisamente quando as luzes estão a baixar de intensidade. «Um grande sucesso de bilheteira reposto a pedido do público»: é assim que a peça *Pôr do Sol no Globe Salon* é descrita nesta sua nova produção. O cenário tem mais estilo, a encenação é mais profissional e há um novo actor principal. Não obstante, ele considera a peça, com o seu humor grosseiro e falta de intenção política, tão difícil de suportar corno antes.

Melanie tem o mesmo papel, o de Gloria, a aprendiza de cabeleireiro. Com um cafetã cor-de-rosa por cima de uns *collants* de lamê, o rosto espalhafatosamente pintado, o cabelo empilhado aos caracóis, cambaleia pelo palco com uns sapatos de tacão alto. As suas deixas são previsíveis, mas profere-as em sincronia precisa com um sotaque *Kaaps* lamurriento. Está mais senhora de si do que antes. Na verdade, desempenha bem o papel, é sem dúvida dotada. Será possível que, durante os meses que ele esteve ausente, ela tenha crescido, ela se tenha encontrado? *O que não mata engorda.* Talvez o julgamento também tenha sido para ela; talvez também ela tenha sofrido e sobrevivido.

Quem lhe dera receber um sinal. Se recebesse um sinal saberia o que fazer. Se, por exemplo, aquelas roupas absurdas se desintegrassem numa chama fria e privada e ela permanecesse diante dele, numa revelação secreta apenas dele, nua e perfeita como naquela última noite no antigo quarto de Lucy.

Os domingueiros entre os quais se encontra sentado, de faces rosadas, confortáveis nas suas banhas, estão a divertir-se com a peça. Acham piada à Melanie-Gloria; riem-se das piadas brejeiras, soltam gargalhadas quando as personagens trocam calúnias e insultos.

Embora sejam seus compatriotas, não é bem como um forasteiro que ele se sente no meio deles, é mais como um impostor. Contudo, quando se riem das deixas de Melanie, não consegue deixar de enrubescer de orgulho. *É minha!* gostaria de dizer, virando-se para eles, como se fosse sua filha.

Sem aviso prévio, uma recordação de há anos atrás atinge-o: lembra-se de alguém a quem deu uma boleia na NI perto de Trompsburg, uma mulher com vinte e tal anos que viajava sozinha, uma turista alemã, bronzeada pelo sol e coberta de pó. Foram até Touws River, alugaram um quarto num hotel; ele deu-lhe de comer e dormiu com ela. Lembra-se das suas pernas compridas, magras e rijas; lembra-se da suavidade do seu cabelo, da leveza do toque entre os seus dedos.

Numa erupção silenciosa e repentina, como se sonhasse acordado, uma torrente de imagens começa a jorrar, imagens de mulheres que conheceu em dois continentes, algumas delas há tanto tempo que tem dificuldade em reconhecê-las. Tal como folhas esvoaçando ao vento, revê-as em tropel. *Um plácido prado povoado de pessoas:* centenas de vidas ligadas à dele. Sustém a respiração, na esperança de que a visão perdure.

O que lhes terá acontecido, a todas estas mulheres, a todas estas vidas? Será que também elas, ou pelo menos algumas delas, caem sem aviso no oceano da memória? A rapariga alemã: será possível que neste mesmo instante ela esteja a lembrar-se do homem que lhe deu boleia em África e passou a noite com ela?

Enriquecido: foi a palavra que os jornais escolheram para escarnecer dele. Uma palavra estúpida que deixou escapar, dadas as circunstâncias. Contudo, agora, neste preciso momento, voltaria a repeti-la. Por Melanie, pela rapariga de Touws River; por Rosalind, por Bev Shaw, por Soraya: por cada uma delas, foi enriquecido, e pelas outras também, até pelas menos importantes, até pelas que foram um fracasso. Como uma flor a desabrochar no peito, o seu coração enche-se de gratidão.

De onde virão momentos como este? Hipnagógico, sem dúvida; mas o que é que isso explica? Se está a ser conduzido, que deus é este que o conduz?

A peça está a agradar ao público. Chegaram ao momento em que Melanie emaranha o cabo eléctrico na vassoura. Um clarão de magnésio e o palco fica de repente mergulhado na escuridão. *Santo Deus, qu'aprendiza mais estúpida!* grita a cabeleireira.

Separam-no de Melanie vinte filas de cadeiras, mas ele espera que, neste momento, ela consiga cheirá-lo através do espaço, consiga cheirar os seus pensamentos.

Algo lhe bate na cabeça, chamando-o de volta à realidade. Pouco depois, passa outro objecto a voar, embatendo na cadeira à sua frente: uma bola de papel mascado do tamanho de um berlinde. Uma terceira acerta-lhe no pescoço. É ele o alvo, não restam dúvidas.

Deveria voltar-se e dardejar. Deveria bradar *Quem fez isso?* Ou manter-se voltado para a frente, fingindo não ter reparado?

Uma quarta bola de papel acerta-lhe no ombro e salta para o ar. O homem sentado ao seu lado lança-lhe um olhar intrigado.

A acção prossegue em palco. A cabeleireira Sidney está a abrir o fatal envelope e a ler em voz alta o ultimato do senhorio. Têm até ao final do mês para pagar a renda e, se não o fizerem, o Globo terá de fechar.

– Que vamos fazer? – queixa-se Miriam, a mulher que lava os cabelos.

– Pst – alguém faz por detrás dele, suficientemente baixo para não ser escutado na parte da frente. – Pst.

Volta-se para trás e uma bola acerta-lhe em cheio na testa. Encostado à parede encontra-se Ryan, o namorado do brinco e da barbicha. Os seus olhares cruzam-se. – Professor Lurie! – murmura Ryan num tom roufenho. Por muito extravagante que o seu comportamento seja, parece bastante calmo. Baila-lhe nos lábios um ligeiro sorriso.

A peça continua, mas ele sente-se agora completamente inquieto. – Pst – sibila Ryan outra vez.

– Pouco barulho! – exclama uma mulher que se encontra a duas cadeiras de distância, voltando-se directamente para ele, embora ele não tenha feito qualquer ruído.

Tem de passar pela frente de cinco pessoas («Com licença... Com licença»), olhares de soslaio, murmúrios irritados, antes de chegar à coxia e sair para a noite ventosa e sem luar.

Sente um ruído atrás dele. Volta-se. A ponta de um cigarro brilha: Ryan seguiu-o até ao parque de estacionamento.

– Vai explicar-se? – explode. – Vai explicar-me este comportamento infantil?

Ryan tira uma baforada. – Só estou a fazer-lhe um favor, *setôr*. Não aprendeu a lição?

– Que lição?

– Mantenha-se com os da sua espécie.

Os da sua espécie: quem é este puto para lhe dizer quem é a sua espécie? Que sabe ele acerca da força que atira dois desconhecidos para os braços um do outro, aproximando-os, unindo-os, sem qualquer prudência? *Omnis gens quaequmque se in se perficere vult.* A semente da geração, ela própria perfeita, introduzindo-se no corpo da mulher, com o objectivo de salvar a sobrevivência do futuro. Salvo, salvado.

Ryan fala. – Deixa-a em paz, meu! A Melanie cospe-te num olho se te põe a vista em cima. – Deixa cair o cigarro, aproxima-se mais um passo. Por baixo de estrelas tão luminosas que parecem incandescentes, olham-se nos olhos. – Arranja outra vida, *setôr*. Vai por mim.

Conduz lentamente pela Main Road, em Green Point. *Cospe-te num olho:* não estava à espera desta. A mão treme-lhe no volante. São os choques da existência: tem de aprender a lidar melhor com eles.

Os transeuntes são imensos; quando está parado num sinal luminoso, um deles olha-o, uma rapariga alta com uma saia de couro minúscula. *Por que não*, pensa, *nesta noite de revelações?*

Estacionam num beco sem saída nas ladeiras de Signal Hill. A rapariga está bêbada ou talvez sob o efeito de drogas: não consegue que ela diga qualquer coisa coerente. Não obstante, ela faz o trabalho tão bem como seria de esperar. Depois, fica deitada com o rosto no colo dele, a descansar. É mais jovem do que parecia à luz da rua, ainda mais jovem do que Melanie. Coloca-lhe uma mão na cabeça. Deixou de tremer. Sente-se sonolento, satisfeito; também estranhamente protector.

Então, basta isto! pensa. *Como é que fui esquecer?*

Não é má pessoa, mas também não é boa. Nem quente nem frio, mesmo no momento mais extremo. Pelo menos pelos padrões de Teresa; nem mesmo pelos padrões de Byron. Falta-lhe calor. Será esse o veredicto que recairá sobre ele, o veredicto do universo e do olhar omnipresente?

A rapariga mexe-se, senta-se. – Para onde vai levar-me? – murmura.

– Vou levar-te para onde te encontrei.

22

Mantém-se em contacto com Lucy por telefone. Nas conversas que têm Lucy faz tudo para lhe assegurar que tudo corre bem na quinta e ele para dar a impressão de que não duvida dela. Diz-lhe que tem trabalhado muito nos canteiros onde a colheita primaveril está agora em flor. Os canis estão outra vez em funcionamento. Tem dois cães em pensão completa e espera vir a ter mais. Petrus anda ocupado com a casa, mas não ocupado de mais que não a ajude. Os Shaws visitam-na com frequência. Não, não precisa de dinheiro.

Mas há algo no tom de voz de Lucy que o inquieta. Telefona a Bev Shaw. – É a única pessoa a quem posso perguntar – diz. – Como está Lucy, de verdade?

Bev Shaw mostra-se reservada. – O que lhe disse ela?

– Ela diz-me que está tudo bem. Mas parece um morto-vivo. Parece que está sob o efeito de tranquilizantes. Está?

Bev Shaw contorna a questão. Contudo adianta-lhe (e parece escolher as palavras cuidadosamente) que há «desenvolvimentos».

– Que desenvolvimentos?

– Não posso dizer-lhe, David. Não me obrigue. Terá de ser a Lucy a contar-lhe.

David telefona a Lucy. – Tenho de ir a Durban – mente. – Tenho uma proposta de emprego. Posso ficar aí um ou dois dias?

– A Bev andou a falar contigo?

– A Bev não tem nada a ver com isto. Posso ir?

Vai de avião até Port Elizabeth e aluga um carro. Duas horas mais tarde sai da estrada e entra no caminho que leva até à quinta, até à quinta de Lucy, até ao pedaço de terra de Lucy.

Será também o pedaço de terra dele? Não o sente como o seu pedaço de terra. Apesar do tempo que aqui passou, parece-lhe uma terra estranha.

Fizeram mudanças. Uma cerca de arame, não muito bem construída, marca agora a fronteira entre a propriedade de Lucy e a de Petrus. Do lado de Petrus pastam dois novilhos escanzelados. A casa de Petrus tornou-se uma realidade. Cinzenta e sem traços distintivos, encontra-se num alto a leste da antiga casa; de manhã, deita-se a adivinhar, deve provocar uma sombra longa.

Lucy abre-lhe a porta com uma bata toda larga que bem poderia ser uma camisa de noite. Aquele ar enérgico e saudável desapareceu. Tem o rosto lívido, o cabelo por lavar. Retribui-lhe o abraço sem entusiasmo. – Entra – diz. – Estava a fazer chá.

Sentam-se à mesa da cozinha. Serve-lhe o chá, passa-lhe uma embalagem de bolachinhas de gengibre. – Conta-me lá acerca da proposta de Durban – diz ela.

– Isso pode esperar. Eu estou aqui, Lucy, porque estou preocupado contigo. Estás bem?

– Estou grávida.

– Estás o quê?

– Estou grávida.

– De quem? Daquele dia?

– Daquele dia.

– Não compreendo. Pensei que tinhas tratado do caso, tu e o médico de família.

– Não.

– O que queres dizer com não? Queres dizer que não trataste do caso?

– Tratei do caso. Tratei de tudo excepto daquilo em que estás a pensar. Mas não vou fazer um aborto. É algo por que não estou disposta a passar novamente.

– Não sabia que pensavas assim. Nunca me disseste que não defendias o aborto. E porque é preciso falarmos em aborto? Supunha que tomavas *Ovral*.

– Isto nada tem a ver com suposições. E eu nunca te disse que tomava *Ovral*.

– Podias ter-me dito há mais tempo. Por que não me contaste?

– Porque não queria que tivesses uma das tuas erupções. David, não posso viver a minha vida de acordo com o que tu gostarias, ou não, que eu fizesse. Acabou-se. Comportas-te como se tudo o que eu faço fizesse parte da história da tua vida. És a personagem principal, eu sou uma personagem secundária que só aparece em palco a meio da peça. Bom, contrariamente ao que pensas, as pessoas não se dividem em principais e secundárias. Eu não sou secundária. Tenho uma vida própria que é tão importante para mim como a tua é para ti e, na minha vida, sou eu quem toma as decisões.

Uma erupção? Não será isto uma erupção? – Já chega, Lucy – diz ele enquanto lhe pega na mão. – Estás a dizer-me que vais ter esse filho?

– Estou.

– Um filho de um daqueles homens?

– Sim.

– Porquê?

– Porquê? Eu sou uma mulher, David. Pensas que não gosto de crianças? Deveria prejudicar a criança por causa do que o pai é?

– Já houve quem o fizesse. Quando nasce?

– Em Maio. No final de Maio.

– Então a decisão está tomada?

– Está.

– Muito bem. Isto é um grande choque para mim, confesso, mas eu estarei sempre do teu lado, seja qual for a tua decisão. Quanto a isso, não há qualquer dúvida. Agora vou dar um passeio. Podemos falar outra vez mais tarde.

Por que não podem falar agora? Porque ele está abalado. Porque corre o risco de também entrar em erupção.

Ela diz que não está preparada para passar por aquilo outra vez. O que quer dizer que já fez um aborto. Ele nunca teria imaginado. Quando poderia ter sido? Quando ela ainda vivia com ele? Será que Rosalind soube e não lhe disseram nada?

O bando dos três. Três pais num. Violadores e não ladrões, chamou-lhes Lucy – violadores e cobradores vagueando pela zona, violando mulheres, satisfazendo os seus prazeres violentos. Bom, Lucy estava errada. Não estavam a violar, estavam a acasalar. Não foi o princípio do prazer que os motivou, mas sim os testículos, sacos cheios de sementes ansiosas por consumar. E agora, vejam só, *a criança!* Já lhe chama *a criança* e ainda não passa de uma larva no útero da mãe. Que género de criança podem sementes daquelas conceber, sementes introduzidas na mulher sem amor, apenas com ódio, misturadas caoticamente, com o objectivo de a conspurcar, de a marcar, como a urina de um cão?

Um pai que não sabe que tem um filho: é assim que tudo vai terminar, é assim que a sua linhagem se vai extinguir, como água que se escoa para a terra? Quem diria! Um dia como qualquer outro, o céu azul, o sol ameno e, de repente, tudo muda, completamente!

Encostado à parede do lado de fora da cozinha, escondendo o rosto entre as mãos, suspira, suspira e, por fim, chora.

Instala-se no antigo quarto de Lucy, ao qual ela não regressou. Tenta evitá-la durante o resto da tarde, receoso de ter alguma atitude irreflectida.

Durante o jantar, nova revelação. – A propósito – diz Lucy – o rapaz está de volta.

– O rapaz?

– Sim, o rapaz com quem tiveste a rixa na festa do Petrus. Está em casa do Petrus a ajudá-lo. Chama-se Pollux.

– Não se chama Mncedisi? Não se chama Nqabayake? Nada impossível de pronunciar, apenas Pollux?

– P-O-L-L-U-X. E David, podes poupar-me a essa tua terrível ironia?

– Não sei ao que te referes.

– É claro que sabes. Utilizaste-a durante anos contra mim quando eu era criança, para me humilhares. Não podes ter esquecido. De qualquer forma, parece que Pollux é irmão da mulher do Petrus. Se é um irmão real não sei. Mas o Petrus tem obrigações para com ele, obrigações familiares.

– Então as coisas começam a esclarecer-se. E agora o jovem Pollux regressa ao local do crime e nós temos de nos portar como se nada tivesse acontecido.

– Não fiques zangado, David. Não ajuda em nada. Segundo o Petrus, o Pollux desistiu da escola e não consegue arranjar emprego. Só quero que saibas que ele anda por aí. No teu lugar, não me aproximava dele. Acho que se passa algo de errado com ele. Mas não posso expulsá-lo da propriedade, não tenho autoridade para isso.

– Principalmente... – não termina a frase.

– Principalmente o quê? Diz o que ias dizer.

– Principalmente porque ele pode ser o pai da criança que trazes dentro de ti. Lucy, a tua situação está a tornar-se ridícula, pior do que ridícula, está a tornar-se sinistra. Não sei como não consegues compreender. Suplico-te, sai desta quinta antes que seja tarde de mais. É a única coisa sensata a fazer.

– Pára de lhe chamar *a quinta*, David. Isto não é uma quinta, é apenas um pedaço de terra onde cultivo coisas – ambos sabemos isso. Mas não, não vou desistir.

Vai para a cama com um aperto no coração. Nada mudou entre ele e Lucy, o tempo nada sarou. Continuam a discutir como se ele não se tivesse ausentado.

É de manhã. Passa por cima da cerca recém-construída. A mulher de Petrus está a lavar roupa por detrás do velho estábulo. – Bom dia – diz ele. – *Molo.* Procuro o Petrus.

Ela não levanta os olhos, e aponta indolentemente para o local da construção. Tem os movimentos lentos, pesados. Está quase a dar à luz: até ele consegue ver isso.

Petrus está a envidraçar as janelas. Deveria ocorrer uma longa troca de cumprimentos, mas não está com disposição para tal. – A Lucy disse-me que o rapaz está de volta – diz. – O Pollux. O rapaz que a atacou.

Petrus limpa a faca, pousa-a. – É um familiar meu – diz ele, carregando no *ar*. – Terei de o mandar embora por causa dessa coisa que aconteceu?

– Disse-me que não o conhecia. Mentiu-me.

Petrus coloca o cachimbo entre os dentes manchados e aspira o ar vigorosamente. Depois pega no cachimbo e rasga um enorme sorriso. – Eu minto – diz. – Eu minto-lhe. – Aspira o ar novamente. – E por que tenho de lhe mentir?

– Não me pergunte a mim, pergunte a si mesmo, Petrus. Por que mente?

O sorriso desapareceu. – Você vai-se embora e depois volta; porquê? – Olha-o com ar de desafio. – Não tem o que fazer aqui. Vem tomar conta da sua filha. Eu também tomo conta do meu filho.

– Seu filho? Agora é seu filho, esse Pollux?

– Sim. Ele é uma criança. É da minha família, da minha gente.

Então é isso. Acabaram-se as mentiras. *A minha gente*. Uma resposta nua e crua. Bom, e Lucy é da *gente* dele.

– Diz que o que aconteceu foi mau – prossegue Petrus. – Eu também digo que foi mau. Foi mau. Mas acabou. – Tira o cachimbo da boca, esfaqueia o ar com veemência com a boquilha. – Acabou.

– Não acabou. Não finja que não sabe ao que me refiro. Não acabou. Pelo contrário, está apenas a começar. E continuará muito depois de eu morrer e de você morrer.

Petrus olha-o com ar pensativo, sem fingir que não compreende. – Ele casa com ela – diz por fim. – Ele casa com Lucy, só que é muito novo, muito novo para casar. Ainda é uma criança.

– Uma criança perigosa. Um delinquente juvenil. Um animal.

Petrus não liga aos insultos. – Sim, é muito novo, muito novo. Talvez um dia possa casar, mas não agora. Caso eu.

– Casa com quem?

– Caso com a Lucy.

Nem consegue acreditar no que está a ouvir. Então é isso, foi para isso que serviram todos os preliminares: para esta declaração, para este golpe! E lá está Petrus, inabalável, rumando o cachimbo vazio, à espera de uma resposta.

– Vai casar com Lucy – diz, cuidadosamente. – Explique-me o que quer dizer. Não, espere, prefiro que não explique. Isto não é algo que eu queira ouvir. Não é assim que nós fazemos as coisas.

Nós: está prestes a dizer, *Nós, os ocidentais.*

– Sim, compreendo, compreendo – diz Petrus. Está obviamente a regozijar-se. – Mas eu digo-lhe e depois você diz à Lucy. Então, tudo acabará, toda a maldade.

– A Lucy não quer casar. Não quer casar com nenhum homem. É uma opção que ela não vai ter em consideração. Não posso ser mais claro do que isto. Ela quer ter a sua própria vida.

– Sim, eu sei – diz Petrus. E talvez saiba mesmo. Seria ingenuidade subestimar Petrus. – Mas isto aqui – continua Petrus – é perigoso, é muito perigoso. Uma mulher tem de casar.

– Tentei levar a coisa a bem – conta mais tarde a Lucy. – Nem queria acreditar no que estava a ouvir. Foi chantagem pura e simples.

– Não foi chantagem. Estás enganado. Espero que não tenhas perdido a cabeça.

– Não, não perdi a cabeça. Disse-lhe que te transmitiria a proposta, mais nada. Disse-lhe que duvidava que estivesses interessada.

– Ficaste ofendido?

– Ofendido com a ideia de vir a ser sogro do Petrus? Não. Fiquei surpreendido, boquiaberto, estarrecido, mas não, ofendido não, podes acreditar em mim.

– Porque, tenho de te dizer, não é a primeira vez. Há já algum tempo que o Petrus dá a entender as suas intenções. Que eu ficaria mais segura se fizesse parte do seu negócio.

Não é uma piada nem uma ameaça. Em certa medida, está a falar muito a sério.

– Não tenho dúvidas de que, em certa medida, esteja a falar muito a sério. A questão é, em que medida? Ele sabe que estás...?

– Queres dizer, se ele sabe da minha condição? Eu não lhe disse. Mas estou certo de que ele e a mulher juntaram dois mais dois.

– E isso não o faz mudar de ideias?

– Por que haveria de mudar de ideias? Isso ainda me torna mais parte da família. De qualquer forma, não é a mim que ele quer, mas sim à quinta. A quinta é o meu dote.

– Mas isso é um absurdo, Lucy! Ele já é casado! Na verdade, disseste-me que ele tem duas mulheres. Como podes sequer considerar a possibilidade?

– Eu acho que não compreendes, David. O Petrus não está a oferecer-me um casamento pela igreja seguido de uma lua-de-mel na Wild Coast. Está a oferecer-me uma aliança, um negócio. Eu contribuo com a terra e eles, em troca, deixam-me abrigar-me debaixo das suas asas. Caso contrário, ele deixa bem claro que fico sem protecção, que sou uma presa fácil.

– E isso não é chantagem? E a parte pessoal? A proposta não tem nenhuma parte pessoal?

– Queres dizer, se o Petrus espera que eu durma com ele? Não tenho a certeza que o Petrus queira dormir comigo, a não ser para mostrar que é ele quem manda. Mas, para ser franca, não, não quero dormir com o Petrus. De forma alguma.

– Então não é preciso dizer mais nada. Transmito a tua decisão ao Petrus: que a proposta dele não foi aceite e não lhe digo porquê?

– Não. Espera. Antes de brigares com o Petrus, espera um momento para considerares a minha situação objectivamente. Objectivamente, sou uma mulher sozinha. Não tenho irmãos. Tenho um pai, mas está longe e, de qualquer forma, sem qualquer poder naquilo que aqui se trata. A quem posso pedir protecção? Ao Ettinger? Já não deve faltar muito para que o Ettinger seja encontrado com uma bala enfiada nas costas. Na prática, só me resta o Petrus. O Petrus pode não ser um grande homem, mas é suficientemente grande para uma pessoa pequena como eu. E, pelo menos, eu conheço o Petrus. Não tenho ilusões em relação a ele. Sei naquilo em que me meteria.

– Lucy, estou a preparar a venda da casa da Cidade do Cabo. Estou disposto a mandar-te para a Holanda. Como alternativa, estou disposto a dar-te aquilo de que necessitares para te instalares noutro local mais seguro do que este. Pensa nisso.

É como se ela não o tivesse ouvido. – Vai ter com o Petrus – diz. – E propõe-lhe o seguinte: Diz-lhe que aceito que me proteja. Diz-lhe que ele pode inventar a história que quiser acerca da nossa relação que eu não o desdigo. Se quiser que pensem que sou a sua terceira mulher, tudo bem. Se quiser que pensem que sou a sua concubina, tudo bem. Mas depois a criança passa a ser dele também. A criança passa a ser parte da família dele. Quanto à terra, diz-lhe que passo a terra para o nome dele desde que a casa continue a ser minha. Serei uma inquilina na terra dele.

– Uma *bywoner*, uma inquilina de favor.

– Sim, uma *bywoner*. Mas a casa permanece na minha posse, repito. Ninguém entra nesta casa sem a minha autorização. Incluindo ele. E fico com os canis.

– Não pode ser, Lucy. Legalmente não é possível. Sabe-lo perfeitamente.

– Então, o que propões?

Ela está sentada com o roupão vestido, de chinelos calçados e o jornal da véspera no colo. Tem o cabelo escorrido; tem um excesso de peso pouco saudável, negligenciado. Cada vez mais, parece-se com uma dessas mulheres que arrastam os pés pelos corredores das casas de saúde, falando sozinhas. Por que haveria Petrus de se dar ao trabalho de negociar? Ela não tem futuro: é deixá-la sozinha que, quando chegar o momento, cairá por terra como fruta podre.

– Eu fiz-te uma proposta. Duas propostas.

– Não, não saio daqui. Vai ter com o Petrus e transmite-
-lhe o que te disse. Diz-lhe que desisto da terra. Diz-lhe que
pode ficar com ela, escritura e tudo. Ele vai adorar.

Segue-se uma pausa.

– Que humilhação – diz, por fim. – Tantas esperanças e
acabar assim.

– Sim, concordo, é humilhante. Mas talvez seja um bom
novo ponto de partida. Talvez seja isso que eu tenho de
aprender a aceitar. Começar do zero. Sem nada. Não com
alguma coisa. Sem nada. Sem cartas, sem armas, sem propriedade, sem direitos, sem dignidade.

– Como um cão.

– Sim, como um cão.

23

É meio da manhã. Ele esteve fora, levou *Katy*, a buldogue, a dar um passeio. Surpreendentemente, *Katy* acompa-
nhou-o, ou por estar mais lento ou por ela estar mais lesta.
A cadela fareja e gane como nunca, mas isso já não o irrita.

Ao aproximarem-se de casa, repara que o rapaz, aquele
a quem Petrus apelidou de *minha gente*, está virado para a
parede das traseiras. De início, pensa que ele está a urinar;
depois repara que está a espreitar pela janela da casa de
banho, está a espreitar Lucy.

Katy começa a rosnar, mas o rapaz está absorto de mais
para prestar atenção. Quando se volta, já estão ao pé dele.
Ele dá uma bofetada ao rapaz. – Seu porco! – grita, pre-
gando-lhe uma segunda bofetada que o faz cambalear. –
Seu porco nojento!

Mais assustado do que ferido, o rapaz tenta fugir, mas
tropeça nos próprios pés. A cadela atira-se a ele de imediato. Os dentes fecham-se-lhe no cotovelo; dobra as patas
da frente e dá um puxão, rosnando. Soltando um grito de
dor, o rapaz tenta libertar-se. Bate-lhe com o punho, mas os
seus golpes não têm força e a cadela ignora-os.

A palavra ainda paira na atmosfera: *Porco!* Nunca antes
sentira uma raiva tão pura. Gostaria de dar ao rapaz aquilo
que ele merece: uma valente tareia. Frases que evitara
durante toda a vida, parecem-lhe agora apropriadas: *Dar-
-lhe uma lição*, *Metê-lo na ordem*. Então é assim! pensa.
É assim ser-se um selvagem!

Dá um pontapé forte ao rapaz e este estatela-se no chão. Pollux! Que nome!

A cadela muda de posição, montando o corpo do rapaz, dando-lhe puxões no braço, rasgando-lhe a camisa. O rapaz tenta afastá-la, mas ela não cede. – Ai ai ai ai ai! – grita de dor. – Eu mato-te! – grita.

Então Lucy entra em cena. – *Katy!* – ordena.

A cadela olha-a de soslaio mas não obedece.

Deixando-se cair de joelhos, Lucy agarra a cadela pela coleira, falando-lhe suavemente e insistindo. Relutante, a cadela larga o rapaz.

– Estás magoado? – pergunta.

O rapaz geme com dores. Corre-lhe ranho pelo nariz. – Eu mato-te! – brada. Parece estar prestes a chorar.

Lucy puxa-lhe a manga para cima. Vêem-se marcas das presas da cadela; enquanto observam, gotas de sangue emergem da pele escura.

– Vem, vamos lavar isso – diz Lucy. O rapaz funga o ranho e as lágrimas e abana a cabeça.

Lucy traz vestido apenas o roupão. Ao levantar-se, o cinto desaperta-se revelando-lhe os seios.

A última vez que viu os seios da filha, estes não passavam de reservados botões de rosa de uma menina de seis anos. Agora são pesados, redondos, quase leitosos. Ficam estáticos. Está a olhá-los fixamente; o rapaz também, sem vergonha. A fúria volta a atacá-lo, nublando-lhe os olhos.

Lucy volta-se para o outro lado, compõe-se. De um só movimento rápido, o rapaz põe-se de pé e afasta-se. – Nós matamo-los a todos! – grita. Volta-se; pisando de propósito o canteiro das batatas, passa por baixo do cercado e dirige-se para a casa de Petrus. Caminha novamente de forma arrogante, embora queixando-se do braço.

Lucy tem razão. O rapaz tem algo de errado, tem algo de errado na cabeça. Uma criança violenta no corpo de um jovem. Mas há mais, um aspecto da questão que ele não consegue compreender. O que pretenderá Lucy ao proteger o rapaz?

Lucy fala. – Isto não pode continuar, David. Eu posso lidar com Petrus e com os seus *aanhangers*, posso lidar contigo, mas não posso lidar com todos juntos.

– Ele estava a espreitar pela janela. Sabias disso?

– Ele tem problemas. É uma criança com problemas.

– E isso é desculpa? Isso é desculpa para o que te fez?

Os lábios de Lucy movem-se, mas ele não consegue escutar o que dizem.

– Não confio nele – prossegue. – É um velhaco. É como um lobo a farejar por todo o lado a ver quando pode fazer uma maldade. Antigamente havia uma palavra para pessoas como ele. Deficiente. Deficiente mental. Deficiente moral. Devia estar internado.

– Estás a ser imprudente, David. Se queres pensar assim, é lá contigo, mas por favor não o digas em voz alta. De qualquer forma, o que tu pensas dele não interessa. Ele está aqui, não vai desaparecer de repente, é um facto da vida. – Encara-o altiva, de revés devido à luz do Sol. *Katy* agacha-se a seus pés, arfando, satisfeita com os seus feitos. – David, não podemos continuar assim. Estava tudo mais calmo, estava tudo em paz, até tu chegares. Tenho de ter paz à minha volta. Estou disposta a fazer qualquer coisa, a fazer qualquer sacrifício, para ter paz.

– E eu faço parte daquilo que estás disposta a sacrificar?

Ela encolhe os ombros. – Não fui eu que o disse, foste tu.

– Então vou fazer as malas.

Horas após o incidente, ainda sente um formigueiro na mão devido aos murros. Quando pensa no rapaz e nas ameaças que fez, fervilha de raiva. Ao mesmo tempo, sente-se envergonhado de si mesmo. Condena-se completamente. Não deu nenhuma lição a ninguém – ao rapaz certamente que não. Tudo o que conseguiu foi afastar-se ainda mais de Lucy. Mostrou-se-lhe nos espasmos da paixão e é óbvio que ela não gostou do que viu.

Devia pedir-lhe desculpa. Mas não o pode fazer. Há algo em Pollux que o enfurece: aqueles olhos pequeninos e opacos, aquela insolência, mas também o facto de, tal como uma erva daninha, ter-lhe sido permitido misturar as suas raízes com as de Lucy e com a sua existência.

Se Pollux insultar a sua filha outra vez, ele bate-lhe outra vez. *Du musst dein Leben ändern!* – deves mudar a tua vida. Bom, está velho de mais para se preocupar, está velho de mais para mudar. Lucy pode conseguir ceder perante a tempestade; ele não consegue sem perder a honra.

É por isso que tem de dar ouvidos a Teresa. Teresa pode ser a última pessoa que pode salvá-lo. Teresa é honra passada. Expõe os seios ao sol; toca banjo diante dos criados e não se importa que sorriam escarninhos. Tem aspirações imortais e canta as suas aspirações. Não morrerá.

Chega à clínica mesmo quando Bev Shaw ia a sair. Abraçam-se com relutância, como dois desconhecidos. É difícil acreditar que em tempos estiveram nus nos braços um do outro.

– Está só de visita ou vai cá ficar durante algum tempo? – pergunta Bev Shaw.

– Vou cá ficar o tempo que for necessário. Mas não vou ficar com a Lucy. Não nos temos dado lá muito bem. Vou procurar um quarto na cidade.

– Lamento. Qual é o problema?

– Entre mim e a Lucy? Nenhum, espero. Nada que não tenha solução. O problema reside nas pessoas com quem ela vive. Quando eu chego, já somos de mais. Somos de mais num espaço tão pequeno. Como aranhas dentro de uma garrafa.

Vem-lhe à mente uma imagem do *Inferno:* o grande pântano do Estige, com almas a ferver lá dentro como cogumelos. *Vedi l'anime di color cui vinse l'ira.* Almas dominadas pela raiva, atormentando-se mutuamente. Um castigo adequado ao crime.

– Está a falar daquele rapaz que está a viver em casa do Petrus. Deixe que lhe diga que não gosto nada do aspecto dele. Mas desde que o Petrus lá esteja, tenho a certeza de que a Lucy estará em segurança. Talvez tenha chegado o momento, David, de se afastar e deixar que a Lucy solucione os seus problemas. As mulheres adaptam-se. A Lucy adapta-se. E é jovem. Tem os pés mais assentes no chão do que você. E do que eu também.

A Lucy adapta-se? Não lhe parece. – Está sempre a dizer para eu me afastar – diz ele. – Se eu me tivesse afastado logo de início, onde estaria a Lucy neste momento?

Bev Shaw fica calada. Será que ele tem algo que Bev Shaw vê e ele não? Uma vez que os animais confiam nela, será que, também ele, deverá confiar nela para lhe dar uma lição? E que lição é essa?

– Se eu me afastasse – prossegue, vacilante – e acontecesse alguma outra desgraça na quinta, como poderia viver comigo mesmo?

Ela encolhe os ombros. – Será essa a questão, David? – pergunta ela em voz baixa.

– Não sei. Já não sei qual é a questão. Parece que caiu uma cortina entre a geração da Lucy e a minha. E eu nem sequer dei por ela cair.

Segue-se um longo silêncio.

– De qualquer maneira – prossegue – não posso ficar com a Lucy, por isso ando à procura de um quarto. Se souber de alguma coisa em Grahamstown, avise-me. O que vim aqui dizer foi que estou disponível para ajudar na clínica.

– Isso dá jeito – diz Bev Shaw.

Compra uma carrinha de meia tonelada a um amigo de Bill Shaw, pela qual passa um cheque no valor de mil rands e outro de sete mil rands datado para o fim do mês.

– É para levar o quê? – pergunta o homem.

– Animais. Cães.

– Vai precisar de grades na traseira, para não fugirem. Conheço um tipo que as pode instalar.

– Os meus cães não saltam.

Segundo os documentos, a carrinha tem doze anos, mas o motor parece bastante suave. E seja como for, diz para si mesmo, não tem de durar para sempre. Nada tem de durar para sempre.

Depois de ver um anúncio no *Grocott's Mail,* aluga um quarto numa casa perto do hospital. Regista-se com o nome de Lourie, paga a renda de um mês adiantada e diz à senhoria que se encontra em Grahamstown para fazer um tratamento. Não diz para que é o tratamento, mas sabe que ela pensa que é cancro.

Está a gastar imenso dinheiro. Não importa.

Numa loja de artigos de campismo compra um aquecedor de imersão, um pequeno forno a gás e uma panela de alumínio. Quando leva estes objectos para o quarto, encontra a senhoria nas escadas. – Não deixamos que se cozinhe nos quartos, Mr. Lourie – explica. – Por causa dos incêndios, compreende.

O quarto é escuro, abafado, excessivamente mobilado, o colchão tem protuberâncias. Mas habituar-se-á, assim como se habituou a outras coisas.

Existe outro hóspede, um professor reformado. Cumprimentam-se ao pequeno-almoço, mas não trocam qualquer outra palavra. Mal acaba o pequeno-almoço, dirige-se à clínica e passa ali o dia, todos os dias, incluindo sábados.

A clínica, mais do que a pensão, torna-se o seu lar. No recinto vazio por detrás do edifício, constrói uma espécie de ninho, com uma mesa, uma poltrona dos Shaws e um guarda-sol para se proteger. Leva para lá o fogão a gás para fazer chá ou aquecer comida enlatada: esparguete com almôndegas, barracuda de cebolada. Dá de comer aos animais duas vezes por dia; lava-lhes as jaulas e às vezes fala com eles; além disso, costuma passar o tempo a ler ou a dormitar e, quando não está lá mais ninguém, pega no banjo de Lucy e toca a música que vai oferecer a Teresa Guiccioli.

Até a criança nascer, será esta a sua vida.

Certa manhã, olha para cima e vê os rostos de três garotos que o espreitam por cima do muro de cimento.

Levanta-se; os cães começam a ladrar; os rapazes descem do muro e desatam a correr lançando gritos de excitação. Que história para contarem em casa: um velhote maluco que se senta com os cães a cantar sozinho!

Completamente maluco. Como lhes poderá explicar, aos pais e à *D Village* o que Teresa e o seu apaixonado fizeram para merecerem ser ressuscitados?

24

Com a camisa de noite vestida, Teresa está à janela do quarto. Tem os olhos fechados. É a hora mais escura da noite: respira pesadamente, acompanhando o sussurrar do vento, o coaxar das rãs.

– *Che vuol dir* – canta, num tom de voz pouco mais que um suspiro. – *Che vuol dire questa solitudine immensa? Ed io* – canta – *che sono?*

Silêncio. A *solitudine immensa* não lhe responde. Até os elementos do trio, ao canto, permanecem silenciosos como arganazes.

– Vem! – diz ela num sussurro – Vem ter comigo, suplico-te, meu Byron! – Abre os braços, abraçando a escuridão, abraçando o que ela lhe vai trazer.

Quer que ele venha com o vento, que a envolva, que esconda o rosto na clivagem dos seus seios. Ou, em alternativa, que ele chegue com a madrugada, que surja no horizonte como um deus-sol arremessando sobre ela o seu calor intenso. Quer tê-lo de volta sob qualquer forma.

Sentado à mesa no pátio dos cães, ele escuta a triste e arrebatadora curvatura do pedido de Teresa ao confrontar a escuridão. É uma altura má do mês para Teresa, está desgostosa, não pregou olho, está desvairada de ansiedade. Quer que a salvem – da dor, do calor do Verão, da Villa Gamba, do mau feitio do pai, de tudo.

Pega no bandolim que estava pousado numa cadeira. Embalando-o como a uma criança, volta para a janela.

Plinc-plonc faz o bandolim nos seus braços, suavemente, para não acordar o pai. *Plinc-plonc* estrila o banjo no pátio desolado, em África.

Apenas algo para passar o tempo, disse ele a Rosalind. Uma mentira. A ópera não é um passatempo, deixou de o ser. Ocupa-o noite e dia.

Contudo, apesar dos bons momentos, a verdade é que *Byron em Itália* não está a andar para a frente. Não tem acção, desenvolvimento, não passa de uma cantilena longa e vacilante proferida por Teresa para a atmosfera vazia, entrecortada de quando em vez pelos gemidos e suspiros de Byron em *off.* O marido e a amante rival foram esquecidos, como se não existissem. O seu impulso lírico não pode ter morrido, mas após décadas de míngua pode ter saído da sua caverna angustiado, enfezado, deformado. Ele não possui os recursos musicais nem as reservas de energia para conseguir tirar *Byron em Itália* da monotonia em que caiu desde o início. Tornou-se o género de trabalho que um sonâmbulo poderia escrever.

Suspira. Seria óptimo regressar triunfante à vida social como o autor de uma excêntrica pequena ópera de câmara. Mas tal não acontecerá. As suas esperanças têm de ser mais moderadas: que algures, do meio do rebuliço de sons, arremeta, como um pássaro, uma única nota autêntica de duração imortal. Quanto ao seu reconhecimento, deixará isso a cargo dos eruditos vindouros, se então ainda existirem eruditos. Pois ele não vai escutar essa nota, quando conseguir tangê-la, se conseguir – conhece bem de mais a arte e os seus meandros para esperar que tal aconteça. Contudo, seria muito bom se Lucy testemunhasse o reconhecimento público do seu trabalho e assim pensasse um pouco melhor dele.

Pobre Teresa! Pobre rapariga em sofrimento! Tirou-a da sua sepultura, prometeu-lhe uma outra vida, e agora está a faltar ao prometido. Espera que ela consiga perdoar-lhe.

De entre os cães do canil, um há que lhe despertou o afecto. Trata-se de um cachorro que tem o quarto traseiro esquerdo paralisado, arrastando-o atrás de si. Não sabe se já terá nascido assim. Nenhum visitante mostrou interesse em adoptá-lo. O seu período de graça está quase a terminar; em breve terá de ser submetido à agulha.

Por vezes, enquanto está a ler ou a escrever, solta-o do canil e deixa-o passear pelo pátio com os seus movimentos grotescos ou dormitar a seus pés. Não é «seu» de forma alguma; teve o cuidado de não lhe dar um nome (embora Bev Shaw lhe chame *Driepoot*); não obstante, sente que o cão tem por ele um enorme carinho. Arbitrariamente, incondicionalmente, foi adoptado; o cão seria capaz de morrer por ele, tem a certeza disso.

O cão fica fascinado com o som do banjo. Quando começa a dedilhar as cordas, o cão levanta-se, inclina a cabeça, põe-se a escutar. Quando começa a trautear a deixa de Teresa e o trauteio se dilata com o sentimento (é como se a laringe se adensasse: consegue sentir o martelar do sangue na garganta), o cão estala os lábios e parece prestes a começar também ele a cantar, ou a uivar.

Atrever-se-ia a fazer isso: a introduzir um cão na peça, a permitir-lhe que lançasse o seu lamento aos céus por entre as estrofes da desprezada Teresa? Por que não? Com toda a certeza, num trabalho que nunca será levado aos palcos, tudo é permitido?

Aos sábados de manhã, de comum acordo, vai até Donkin Square ajudar Lucy no mercado. Depois leva-a a almoçar.

Lucy tem os movimentos mais lentos. Começou a ter um ar autocontemplativo, plácido. A gravidez não é óbvia; mas se já está a dar essa impressão, já não deve faltar muito para as alcoviteiras de Grahamstown repararem.

– Como é que o Petrus anda? – pergunta.

– A casa está pronta, só falta o tecto e a canalização. Já estão a mudar-se para lá.

– E a criança? Não estará prestes a nascer?

– Durante a próxima semana. Têm tudo muito bem programado.

– E o Petrus fez mais alguma insinuação?

– Insinuação?

– Acerca de ti. Acerca do teu lugar no negócio.

– Não.

– Talvez seja diferente depois de a criança... – esboça um gesto na direcção da filha, na direcção do seu corpo – depois de a criança nascer. Afinal de contas, será um filho da sua terra. Não o poderão negar.

Segue-se um longo silêncio.

– Já a amas?

Embora estas palavras sejam suas e tenham sido proferidas por ele, não deixam de o surpreender.

– A criança? Não. Como poderia amá-la? Mas hei-de amar. O amor crescerá... podemos confiar na Mãe Natureza. Estou determinada a ser uma boa pessoa, David. Uma boa mãe e uma boa pessoa. Tu também devias tentar ser uma boa pessoa.

– Já deve ser tarde de mais para mim. Não passo de um velho recluso a cumprir a pena. Mas tu, vai em frente. Estás no bom caminho.

Uma boa pessoa. Não é uma má resolução a tomar numa época negra.

Obedecendo a um acordo mudo, para já não vai à quinta da filha. Não obstante, certo dia passa pela estrada de Kenton, deixa a carrinha na curva e faz o resto do percurso a pé, não seguindo pelo caminho, mas sim pela estepe.

Depois de passar o último cume, a quinta surge diante dele: a velha casa, sólida como sempre, os estábulos, a nova casa de Petrus, o velho dique onde consegue discernir as silhuetas dos patos e outras silhuetas maiores, dos gansos selvagens, os visitantes longínquos de Lucy.

A esta distância os canteiros de flores parecem blocos coloridos: magenta, cornalina, azul-cinza. A estação florescente. As abelhas devem sentir-se no sétimo céu.

Não há sinal de Petrus, nem da mulher e do rapaz mau que anda com eles. Mas Lucy está a trabalhar por entre os canteiros de flores; e, ao descer a colina em direcção a ela, consegue ver que a cadela está com a filha, uma mancha ao seu lado sacudindo a cauda.

Chega à cerca e pára. Lucy, de costas voltadas, ainda não o viu. Traz um vestido de Verão descorado, botas e um enorme chapéu de palha. Quando ela se inclina para cortar, podar ou atar, consegue vislumbrar a pele leitosa com veias azuis e os vulneráveis tendões na curva das pernas: a parte menos bonita do corpo de uma mulher, a parte menos expressiva e, talvez por isso, a mais cativante.

Lucy endireita-se, espreguiça-se, inclina-se outra vez. Trabalho do campo; tarefas de camponês, antiquíssimas. A sua filha está a transformar-se numa camponesa.

Ainda não reparou nele. Quanto ao cão de guarda, o cão de guarda parece dormitar.

Portanto: em tempos foi um girino no corpo da mãe e agora aqui está ela, sólida na sua existência, mais sólida do que ele alguma vez esteve. Com sorte, viverá muitos anos, muitos anos depois de ele morrer. Depois de ele morrer, com sorte, ela continuará aqui a realizar as suas tarefas diárias por entre os canteiros de flores. E de dentro dela terá gerado outra existência que, com sorte, será igualmente sólida, igualmente duradoira. E assim continuará, uma linhagem de existências em que o seu contributo, a sua oferenda, diminuirá inexoravelmente, até cair no esquecimento.

Avô. Um Joseph. Quem diria! Que rapariga bonita pode ele esperar que seja aliciada para a cama de um avô?

Em voz baixa, diz o nome da filha. – Lucy!

Ela não o ouve.

O que acarretará ser avô? Como pai não foi lá grande coisa, apesar de dar o seu melhor. Como avô, provavelmente, também ficará abaixo da média. Faltam-lhe as virtudes dos velhos: serenidade, bondade, paciência. Mas talvez essas virtudes ainda venham a surgir, tal como outras desapareceram: a virtude da paixão, por exemplo. Tem de ler novamente Victor Hugo, o poeta dos avós. Poderá aprender alguma coisa.

O vento pára. Segue-se um momento de extrema quietude que ele gostaria de prolongar para sempre: o sol ameno, a quietude do meio da tarde, abelhas atarefadas num campo de flores; e, no centro da imagem, uma jovem, *das ewig Weibliche*, alegremente grávida, com um chapéu de palha. Uma cena pronta a ser utilizada por um Sargent ou um Bonnard. Rapazes da cidade como ele; mas até os rapazes da cidade sabem reconhecer a beleza quando a vêem, até eles podem ficar boquiabertos.

A verdade é que ele nunca teve muito olho para a vida rural, apesar de tanto ler Wordsworth. Nunca teve muito olho fosse para o que fosse, excepto para raparigas bonitas; e onde foi que isso o levou? Será tarde de mais para educar o olho?

Aclara a garganta. – Lucy – diz, agora mais alto.

O feitiço é quebrado. Lucy ergue-se, volta-se para ele e sorri. – Olá – diz. – Não te senti chegar.

Katy levanta a cabeça e olha na direcção dele.

Passa por cima da cerca. *Katy* encaminha-se lentamente para ele, cheira-lhe os sapatos.

– Onde está a carrinha? – pergunta Lucy. Está ruborizada devido ao trabalho e talvez um pouco queimada do sol. De repente ela parece-lhe o retrato vivo da saúde.

– Estacionei mais atrás e vim a pé.

– Entras e tomas chá comigo?

Ela convida-o como se ele não fosse da casa. Óptimo. Visita, visitar: novas condições, novo começo.

É sábado outra vez. Ele e Bev Shaw estão empenhados numa das suas sessões de *Lösung*. Um a um, traz para dentro os gatos, depois os cães: os velhos, os cegos, os coxos, os aleijados, os estropiados, mas também os jovens, os saudáveis – todos aqueles cuja hora chegou. Um a um, Bev toca-lhes, fala-lhes, conforta-os e abate-os, e depois afasta-se e fica a observá-lo enquanto ele fecha os restos mortais em sacos pretos de plástico.

Não falam um com o outro. Já aprendeu com ela a concentrar toda a sua atenção no animal que estão a matar, dando-lhe aquilo a que já não sente dificuldade em chamar pelo nome: amor.

Amarra o último saco e leva-o para a porta. Vinte e três. Só resta o cachorrinho, aquele que gosta de música, aquele que, se lhe dessem uma oportunidade, já teria seguido os camaradas aos saltos para o edifício da clínica, para o teatro com a mesa de tampo de zinco onde ainda pairam os odores intensos, incluindo aquele que ele ainda não conheceu: o cheiro da expiração, o suave e curto odor da alma liberta.

O que o cão nunca conseguirá compreender (*nunca na vida!* pensa), o que o seu nariz não lhe dirá é como é possível entrar-se no que parece ser uma sala vulgar e nunca mais sair. Acontece algo nesta sala, algo inexprimível: aqui, a alma é arrancada ao corpo; paira breves momentos no ar, torcendo-se e contorcendo-se e, depois, é sugada e desaparece. Está para lá do seu entendimento, esta sala que não é uma sala, mas um buraco onde se perde a existência.

É cada vez mais difícil, disse Bev Shaw certo dia. Mais difícil, mas também mais fácil. Uma pessoa habitua-se a que as coisas fiquem mais difíceis; uma pessoa deixa de se surpreender que as coisas extremamente difíceis fiquem ainda mais difíceis. Se quiser, pode poupar a vida do cachorrinho durante mais uma semana. Mas há-de chegar a altura, não há volta a dar-lhe, em que terá de o levar a Bev Shaw, à sala de operações (talvez o leve ao colo, talvez faça isso por ele) e o acaricie, lhe penteie o pêlo para que a agulha encontre uma veia, lhe sussurre ao ouvido, o apoie no momento em que, perplexo, as suas patas se retesem; e, depois, quando a alma já abandonou o corpo, o meta num saco e, no dia seguinte, mande o saco para as chamas e fique a vê-lo arder, para sempre morto. Morto, matado. Fará tudo isso por ele, quando chegar a sua hora. E será muito pouco, menos do que pouco: nada.

Atravessa a sala de operações. – Era o último? – pergunta Bev Shaw.

– Há mais um.

Abre a porta da jaula. – Anda – diz-lhe, inclinando-se e abrindo os braços. O cão arrasta os quartos traseiros inválidos, cheira-lhe o rosto, lambe-lhe o rosto, os lábios, as orelhas. Nada faz para o impedir. – Anda.

Levando-o nos braços como um carneiro, entra novamente na sala de operações. – Pensei que fosse poupá-lo
por mais uma semana – diz Bev Shaw. – Mas afinal vai
deixá-lo partir?

– Sim, vou deixá-lo partir.

Obras de J. M. Coetzee
publicadas pela D. Quixote